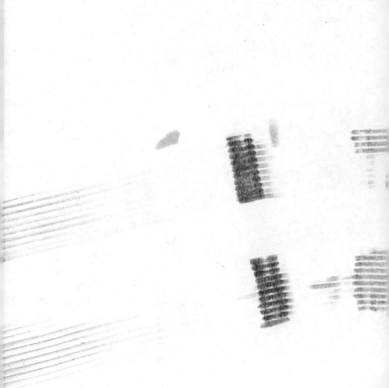

LA REINE DU BAL

D'abord secrétaire puis hôtesse de l'air, ce n'est qu'au décès de son mari que Mary Higgins Clark se lance dans la rédaction de scripts pour la radio. Son premier ouvrage est une biographie de George Washington. Elle décide ensuite d'écrire un roman à suspense, *La Maison du guet*, son premier best-seller. Encouragée par ce succès, elle continue à écrire tout en s'occupant de ses enfants. En 1980, elle reçoit le Grand Prix de littérature policière pour *La Nuit du renard*. Mary Higgins Clark écrit alors un roman par an, toujours accueilli avec le même succès par le public. Elle est traduite dans le monde entier et plusieurs de ses romans ont été adaptés pour la télévision.

Alafair Burke est considérée comme l'une des nouvelles voix du polar contemporain. Ancienne adjointe du procureur de Portland, et fille du célèbre auteur James Lee Burke, elle enseigne le droit pénal à New York. Ses romans sont traduits en douze langues. Son premier ouvrage traduit en France, *Jamais vue*, est paru en 2013 aux éditions Télémaque.

MARY HIGGINS CLARK

ET ALAFAIR BURKE

La Reine du bal

ROMAN TRADUIT DE L'ANGLAIS (ÉTATS-UNIS)
PAR ANNE DAMOUR

ALBIN MICHEL

Titre original :

EVERY BREATH YOU TAKE
Publié en accord avec l'éditeur original
Simon & Schuster, Inc., New York.

Pour Lee et Philip Reap,
avec toute mon affection
MARY

Pour Danielle Holley-Walker,
avec gratitude et admiration
ALAFAIR

Prologue

Trois ans auparavant

C'était un lundi soir inhabituellement froid et venteux. Virginia Wakeling, soixante-huit ans, flânait dans les salles de l'exposition du Costume Institute au Metropolitan Museum of Art, allant d'une robe à l'autre, sans se douter que cette merveilleuse soirée se terminerait en tragédie.

Ni qu'il ne lui restait que quatre heures à vivre.

Le musée avait été fermé au public pour permettre à la collecte de fonds la plus importante de l'année de s'y dérouler, et aux généreux donateurs de profiter d'une heure pour admirer les robes que les premières dames avaient portées au bal inaugural de l'investiture de leur époux.

La robe de Virginia ce soir était une copie de celle de Barbara Bush en 1989. Une création d'Oscar de la Renta, corsage de velours noir à manches longues et longue jupe en satin bleu paon. Une tenue à la fois solennelle et royale, exactement l'impression qu'elle voulait donner.

Mais elle se demandait quand même si le maquillage appliqué par Dina n'était pas trop prononcé. Dina s'était récriée : « Madame Wakeling, croyez-moi. Il se marie à la perfection avec vos cheveux bruns et la fraîcheur de votre teint. Là-dessus, il faut absolument un rouge à lèvres de couleur vive. »

Peut-être avait-elle raison, songeait Virginia. Ou tort. Le fait est que cela la rajeunissait de dix ans. Elle étudiait les robes les unes après les autres, fascinée par la variété des modèles : le fourreau asymétrique de Nancy Reagan ; la robe en soie rose de Mamie Eisenhower, ornée de deux mille strass ; Lady Bird Johnson vêtue d'une robe jaune maïs bordée de fourrure ; Laura Bush en robe argent à manches longues ; Michelle Obama en rouge rubis. Toutes ces femmes – si différentes, mais déterminées à se montrer sous leurs meilleurs atours pour honorer leur mari, le Président.

La vie s'était écoulée si vite, songea Virginia. Au début de leur mariage, Bob et elle avaient vécu dans un modeste trois-pièces d'une maison jumelle dans le Lower East Side de Manhattan, un quartier à l'époque peu prisé, mais tout avait rapidement changé. Bob avait un véritable don pour les transactions immobilières et, dès la première année, il avait fait un emprunt pour obtenir un apport et acquérir la maison qu'ils habitaient. Il inaugura ainsi une brillante carrière dans ce secteur. Aujourd'hui, quarante-cinq ans plus tard, elle possédait une demeure à Greenwich, dans le Connecticut, un duplex sur Park Avenue, une maison de rêve avec vue sur l'océan à Palm Beach et un appartement à Aspen pour les vacances de ski.

Mais un infarctus avait brusquement emporté Bob il y a cinq ans. Virginia savait combien il aurait été heureux de voir avec quel soin Anna dirigeait Wakeling Development, l'affaire qu'il avait créée pour sa famille.

Comme je l'aimais, songeait-elle tristement, même s'il était colérique et dominateur. Je n'y attachais guère d'importance.

Puis, deux ans auparavant, Ivan était entré dans sa vie. De vingt et un ans plus jeune qu'elle, il l'avait abordée lors d'un cocktail à une exposition de peinture dans un petit atelier du Village. Un article sur l'artiste avait attiré l'attention de Virginia et elle avait décidé d'assister au vernissage. On servait un vin médiocre. Elle le sirotait dans un verre en plastique et se mêlait à la foule bigarrée qui admirait les toiles quand Ivan l'avait rejointe.

« Qu'en pensez-vous ? » avait-il demandé. Il avait une voix calme et agréable.

« Des gens ou des tableaux ? » avait-elle répliqué, et ils avaient éclaté de rire.

L'exposition se terminait à sept heures. Ivan lui avait proposé de dîner dans un petit restaurant italien du quartier dont la cuisine était divine, il s'en portait garant. C'est ainsi qu'il était entré dans sa vie.

Inévitablement, au bout d'un mois, sa famille avait voulu savoir avec qui elle sortait. Et, naturellement, ils s'étaient offusqués. Après l'université, Ivan s'était consacré à sa passion pour le fitness. Il était à présent coach personnel, mais il était très doué, avait de grands rêves et une solide déontologie, peut-être les seules caractéristiques qu'il avait en commun avec Bob.

« Maman, cherche un veuf de ton âge, avait dit sèchement Anna.

— Je ne cherche pas à me marier, leur avait-elle rétorqué. Mais j'apprécie de passer des soirées amusantes et intéressantes. »

Un coup d'œil à sa montre la ramena soudain à la réalité et elle se rendit compte qu'elle était restée immobile plusieurs minutes, plongée dans ses réflexions. Était-ce parce que, en dépit de leur grande différence d'âge, elle envisageait sérieusement d'épouser Ivan ? La réponse était oui, elle ne pouvait le nier.

Écartant cette pensée, elle se remit à étudier les tenues des ex-premières dames. Ces femmes avaient-elles imaginé une seule seconde qu'elles vivraient un jour comme celui-là au cours de leur existence ? se demanda-t-elle. Pour ma part, je n'aurais jamais supposé que ma vie changerait à ce point. Si Bob avait vécu plus longtemps, peut-être aurait-il été maire ou sénateur, voire Président. Mais il a créé une entreprise, un cadre de vie, et les moyens pour moi de soutenir les causes qui me sont chères, comme le musée.

Ce gala attirait des célébrités de premier rang et les plus généreux donateurs de la ville. En tant que membre du conseil d'administration, Virginia était le centre de l'attention ce soir, et si cet honneur lui revenait, c'était grâce à la fortune de Bob.

Elle entendit des pas derrière elle. C'était sa fille de trente-six ans, Anna, dont la tenue était aussi glamour que celle de Virginia. Anna avait cherché sur internet où trouver une robe similaire à la robe de dentelle d'Oscar de la Renta qu'Hillary Clinton avait portée au bal inaugural en 1997.

« Maman, les médias sont déjà là. Ivan te cherchait. À l'entendre, tu ne voudrais louper ça pour rien au monde. »

Virginia s'efforça de ne pas interpréter les paroles de sa fille. D'un côté, le ton dénotait une hostilité passive, comme si Anna savait mieux qu'Ivan ce que sa mère voulait. Cela pouvait vouloir dire aussi qu'Anna avait eu une conversation tout à fait cordiale avec Ivan et était venue la chercher à sa demande.

Oh, comme je voudrais que ma famille accepte la décision que je finirai par prendre, pensa-t-elle, légèrement agacée. Ils ont leur vie et sont à l'abri du besoin. Fichez-moi la paix et laissez-moi vivre comme je l'entends.

Elle s'efforça de repousser cette pensée et s'exclama : « Anna, tu es ravissante ce soir. Je suis si fière de toi. »

Elles sortirent ensemble de la galerie, le taffetas bleu de Virginia bruissant à côté de la dentelle dorée d'Anna.

Plus tard dans la soirée, la chevelure noire de Virginia et sa robe colorée attirèrent le regard d'un joggeur qui courait dans Central Park. Il s'était arrêté en sentant son pied frôler quelque chose qui dépassait dans la neige. Frappé de stupeur, il s'aperçut que la femme étendue devant lui était non seulement morte mais que ses yeux étaient grands ouverts et son expression figée par l'effroi et l'horreur.

Virginia Wakeling était tombée – ou avait été précipitée – du haut de la terrasse du musée.

1

Laurie Moran ne put ignorer la satisfaction peinte sur le visage de son fils de neuf ans quand le serveur apporta le petit déjeuner sur leur table.

« Qu'y a-t-il de spécial ? demanda-t-elle avec un sourire.

— Rien, répondit Timmy. Je pensais seulement que tu avais l'air super cool habillée comme ça.

— Eh bien, merci beaucoup », dit Laurie, ravie, non sans constater combien l'expression *super cool* prouvait que son petit garçon grandissait. Les professeurs assistaient à un congrès sur l'éducation et l'école était fermée. À la suite de quoi Laurie avait décidé d'aller travailler plus tard et d'emmener Timmy et son grand-père prendre un petit déjeuner au Sarabeth. Timmy y était allé une vingtaine de fois, mais il voyait toujours d'un mauvais œil que Laurie commande des œufs Bénédicte avec du saumon.

« Personne ne mange du poisson au petit déjeuner, décréta-t-il avec assurance, hein, grand-père ? »

Si Laurie avait dû désigner un rival dans le cœur de son fils, elle n'aurait pas trouvé meilleur exemple que son propre père, Leo Farley. Alors que les autres enfants de l'âge de Timmy commençaient à admirer des athlètes, des comédiens et des musiciens, Timmy regardait son grand-père, commissaire en chef à la retraite de la police de New York, comme s'il était Superman en personne.

« Désolé de te le dire, mon bonhomme, dit aussitôt Leo, mais tu ne peux pas continuer à manger des pancakes avec du chocolat et du sucre en poudre pour le restant de tes jours. Dans trente ans, tu comprendras pourquoi ta mère aime le poisson et pourquoi je fais semblant de savourer ce bacon de dinde qui a un goût de papier.

— Au fait, qu'est-ce que vous avez prévu tous les deux ? demanda Laurie en souriant.

— On va regarder le match des Knicks-Pacers. On l'a enregistré hier soir. Je vais essayer de repérer Alex dans les tribunes. »

Laurie reposa brusquement sa fourchette. Cela faisait deux mois qu'Alex Buckley et elle ne s'étaient pas parlé – et deux mois de plus qu'Alex avait cessé de présenter son émission de télévision *Suspicion* pour se concentrer sur ses activités d'avocat. Avant même qu'elle se rende compte à quel point Alex comptait dans sa vie, il était parti.

Voilà pourquoi elle disait souvent en riant qu'elle aurait aimé savoir se dédoubler. Elle n'arrêtait pas, au travail et à la maison, mais maintenant qu'Alex n'était plus là, il y avait tout de même un vide dans son existence. Elle continuait d'avancer, un jour après l'autre, concentrée sur son foyer et sur son travail, mais ça ne lui était d'aucun secours.

16

Après avoir entendu Timmy mentionner Alex, elle s'attendait à ce que son père bondisse sur l'occasion et la questionne : *À propos, comment va Alex ?* Ou : *Alex viendra-t-il dîner avec nous cette semaine ?* Au lieu de quoi Leo prit une autre bouchée de son bacon de dinde. Laurie supposa que Timmy aussi se demandait pourquoi ils avaient si peu vu Alex récemment. Elle comprit qu'il prenait exemple sur son grand-père en ne posant pas de question directe. Il s'était donc contenté de mentionner la présence d'Alex dans les tribunes.

Laurie s'efforça d'adopter un ton détaché. « Tu sais, Alex distribue souvent ses places à des associations de bienfaisance. Elles sont généralement occupées par d'autres que lui. »

Le visage de Timmy s'assombrit. Il était parvenu à survivre à la vision du meurtre de son père. Le cœur serré, Laurie se rendait compte qu'il essayait de le remplacer par Alex.

Elle avala la dernière goutte de son café. « Bon, je dois aller gagner de quoi subvenir à nos besoins. »

Laurie était la productrice de *Suspicion*, une série télévisée d'enquêtes criminelles spéciales concernant des affaires classées. Le titre annonçait le propos de l'émission qui faisait directement appel aux suspects que l'enquête avait écartés. Ces derniers n'avaient jamais été formellement inculpés, mais la suspicion continuait de planer au-dessus de leur tête. Laurie avait toujours du mal à ne retenir qu'une seule affaire, mais pour la prochaine émission elle avait restreint son choix à deux possibilités.

Elle posa un baiser sur le front de Timmy. « Je serai de retour à temps pour le dîner, promit-elle. Poulet rôti au menu ? » Elle se sentait constamment coupable de ne pas préparer des plats plus sains pour son fils.

« Ne t'inquiète pas, maman, dit Timmy. Si tu es en retard, on pourra toujours commander une pizza. »

Leo repoussa sa chaise. « Je dois passer au quartier général des forces de l'ordre ce soir. J'irai lorsque tu seras rentrée et serai de retour pour le dîner à huit heures. » Quelques mois auparavant, le père de Laurie avait renoué avec son univers en rejoignant l'unité antiterroriste de la police de New York.

« C'est parfait », dit-elle. Elle s'estimait heureuse d'avoir ces deux gentlemen auprès d'elle – son père de soixante-cinq ans et son fils de neuf ans –, toujours désireux de lui faciliter la vie.

Quinze minutes plus tard, elle arrivait à son travail où l'assaillit aussitôt un autre des hommes qui peuplaient sa vie. « Je me demandais si vous daigneriez nous faire la grâce de votre présence. » C'était Ryan Nichols, qui l'interpellait depuis son bureau au moment où elle passait devant sa porte. Il avait été engagé comme présentateur de son émission à peine quatre mois auparavant, et elle n'avait encore aucune idée de ce qu'il fabriquait au studio du matin au soir. « J'ai trouvé le cas parfait pour nous », cria-t-il tandis qu'elle faisait mine de ne pas l'entendre.

2

Laurie ignora délibérément Ryan et se dirigea vers son bureau. Son assistante, Grace Garcia, sentit immédiatement qu'elle était contrariée. « Allons bon, qu'est-ce qui ne va pas ? Je croyais que tu avais emmené ton délicieux fiston prendre un petit déjeuner au restaurant. » Laurie pensait parfois que Grace accordait plus d'importance à ses rares moments de détente qu'à son propre temps libre.

« Comment as-tu deviné que quelque chose n'allait pas ? » demanda Laurie.

Grace la regarda l'air de dire : *Comment peux-tu me poser cette question ?* Grace avait toujours su lire dans les pensées de Laurie comme dans un livre ouvert.

Laurie laissa tomber son sac sur son bureau, et une minute plus tard Grace lui tendait une tasse de thé brûlant. Elle portait un chemisier d'un jaune éclatant, une jupe crayon incroyablement étroite, et des nu-pieds noirs à talons aiguilles de douze centimètres. Qu'elle puisse faire un pas sans trébucher restait une énigme pour Laurie.

« Ryan m'a vue sortir de l'ascenseur et m'a fait une observation sur mon retard, dit-elle furieuse.

— Il peut parler ! s'exclama Grace. Tu n'as pas remarqué qu'il n'est jamais là le matin lorsqu'il a assisté à un événement mondain la veille ? »

À dire vrai, Laurie ne remarquait jamais les absences de Ryan. Pour elle, il était inutile qu'il soit là avant le tournage.

« Oh, vous parlez des horaires fluctuants de Ryan au bureau ? Il n'en fait vraiment qu'à sa tête », fit une voix, celle de l'adjoint de Laurie à la production, Jerry Klein, qui était sorti du bureau voisin et se tenait sur le seuil de sa porte. Si Laurie feignait de désapprouver l'échange constant de potins entre Jerry et Grace, la vérité était que ces deux-là lui procuraient ses moments de distraction les plus agréables. « Grace t'a-t-elle dit qu'il n'a pas cessé de te chercher ? »

Grace secoua la tête. « J'essayais de ne pas lui gâcher la matinée. Elle verra ce charlot bien assez tôt. Dis-moi, Laurie, est-ce que quelqu'un lui a signifié que c'est toi le boss ? On dirait un clone de Brett qui veut tout régenter. »

En théorie, Grace avait raison. Brett Young était le patron des studios Fisher Blake. Il avait fait une longue carrière couronnée de succès à la télévision. Il était aussi irascible qu'un patron peut l'être, mais il avait mérité le droit de mener sa barque aussi fermement qu'il le désirait.

Rien à voir avec le cas Ryan Nichols. En bref, avant d'arriver chez Fisher Blake moins de quatre mois plus tôt, il était une star montante du barreau. Sorti avec mention très bien de l'école de droit de Harvard, il avait enchaîné avec un stage à la Cour suprême. Jeune procureur fédéral, il avait déjà gagné le genre de procès qui faisaient la couverture du *New York Times* et du *Wall Street Journal*. Mais au lieu de continuer à développer ses talents d'avocat, il avait quitté le bureau du procureur général pour devenir présentateur-vedette à mi-temps sur les chaînes d'information du câble, offrant des analyses sur le vif sur des questions juridiques et des procès. Aujourd'hui, tout le monde voulait devenir célèbre, pensa Laurie.

Avant qu'elle ait eu le temps de dire ouf, Brett Young avait engagé Ryan comme présentateur de son émission sans la consulter. Auparavant, Laurie avait trouvé l'animateur parfait en la personne d'Alex et travailler avec lui avait été un plaisir incommensurable. C'était un avocat brillant, mais il savait reconnaître que l'instinct de Laurie en matière de programmation avait contribué au succès de la série. Il savait à la perfection conduire des contre-interrogatoires, et réussissait à démasquer les participants qui croyaient pouvoir traverser impunément l'émission en répétant les mêmes mensonges que ceux qu'ils avaient racontés lors de la première enquête.

Ryan n'avait présenté qu'une seule émission jusqu'à aujourd'hui. Il n'avait ni l'expérience ni les talents d'Alex, mais il n'avait pas été aussi mauvais que Laurie l'avait craint. Ce qui l'agaçait le plus chez lui, c'était qu'il ne se cantonnait visiblement pas à son rôle. Il était aussi consultant juridique dans d'autres programmes du studio. Et ce n'était certes pas une coïncidence si l'oncle de Ryan était l'un des meilleurs amis de Brett.

3

Ryan se tenait devant elle, les mains sur les hanches. En le regardant avec objectivité, elle comprit pourquoi l'un des débats qui animaient la communauté des fans de son émission roulait sur la question : « Qui est le plus chouette, Alex ou Ryan ? » Elle avait bien sûr une préférence pour le premier, mais Ryan était indubitablement bel homme, avec ses cheveux blond cendré, ses yeux d'un vert vif et son sourire parfait.

« La vue est splendide, Laurie. Et vous avez un goût exquis en matière de décoration. » Le bureau de Laurie était situé au quinzième étage, avec vue sur la patinoire du Rockefeller Center. Elle l'avait aménagé avec des meubles modernes et confortables. « Si je travaillais dans un tel décor, je ne pourrais jamais m'en aller. »

Elle décela non sans un certain plaisir une petite pointe de jalousie dans sa voix, mais elle n'avait que faire de son bavardage. Elle alla droit au but.

« Qu'est-ce qui vous amène ?

— Brett m'a paru impatient de commencer la prochaine série.

— S'il ne tenait qu'à lui, nous aurions deux émissions par semaine tant que l'audience se maintient. Il oublie la somme de travail nécessaire pour reprendre de zéro l'enquête d'une affaire classée, dit-elle.

— Je comprends. À ce propos, j'ai le cas parfait pour nos prochains épisodes. »

Elle avait passé des années à développer seule le concept de cette émission. Elle ne put s'empêcher de tiquer en entendant ce *nos*.

Malgré le nombre important de crimes non élucidés dans ce pays, beaucoup ne correspondaient pas aux critères requis pour les enquêtes de *Suspicion*. Certains cas restaient trop inexpliqués – pas de suspects, suppositions aléatoires. D'autres étaient pratiquement résolus, et la police attendait simplement une preuve tangible.

Une toute petite catégorie – un mystère non résolu, mais avec plusieurs suspects possibles – était devenue la spécialité de Laurie. Elle passait une grande partie de son temps à étudier les sites internet dédiés aux affaires criminelles, à lire les comptes rendus des nouvelles locales dans tout le pays, et à passer au crible les informations en ligne. Et il y avait toujours cet instinct infaillible qui lui dictait sur quel cas enquêter. Mais voilà que débarquait Ryan, convaincu d'avoir une idée géniale pour l'émission.

Elle était certaine de connaître à peu près toutes les affaires que mentionnerait Ryan dans les moindres détails, mais elle fit de son mieux pour feindre d'apprécier sa proposition. « Dites-moi, fit-elle.

— Virginia Wakeling. »

Laurie identifia le nom sur-le-champ. Il ne s'agissait pas d'un obscur homicide commis à l'autre bout du pays. Il avait eu lieu à quelques kilomètres de là, au Metropolitan Museum of Art. Et ce n'était pas vraiment un cold case. Virginia Wakeling était un membre du conseil d'administration du musée et l'un de ses donateurs les plus généreux. On l'avait retrouvée dans la neige derrière le bâtiment la nuit de la cérémonie de la mémorable collecte de fonds de l'institution, le gala du Met. C'était l'un des événements les plus prestigieux, les plus select de tout Manhattan. Elle était morte à la suite d'une chute – involontaire ou intentionnelle – depuis la terrasse du musée.

Virginia Wakeling était une personnalité suffisamment influente dans le monde de l'art pour que le bruit ait couru que le musée envisageait de suspendre le gala annuel l'année suivante et tant que sa mort resterait inexpliquée. Mais la cérémonie avait continué d'avoir lieu, malgré l'absence de solution à ce mystère.

Laurie se souvenait bien des faits et émit une première opinion. « Il semblait évident à l'époque que le coupable était son jeune ami.

— Comme dans le film *Suspicion*, dit Ryan d'un air entendu.

— Pour moi, la conclusion de cette affaire ne fait aucun doute. Il était considérablement plus jeune qu'elle. La police paraît convaincue que c'est lui qui l'a tuée, même s'ils ne peuvent pas le prouver. N'était-il pas mannequin ou quelque chose de ce genre ?

— Non, dit Ryan. Il est coach sportif privé. Son nom est Ivan Gray et il est innocent. »

Laurie sentit son estomac se nouer encore davantage. Elle pouvait s'impliquer à fond dans un des sujets qu'elle traitait, mais jamais elle n'avait été certaine de la culpabilité ou de l'innocence de quiconque, surtout au début. Le véritable propos de son émission était d'explorer sans parti pris une affaire non élucidée.

Elle était pratiquement convaincue que Ryan n'était pas tombé sur ce cas par hasard. « Est-ce que par extraordinaire vous connaîtriez M. Gray ? demanda-t-elle.

— C'est mon coach. »

Bien sûr, pensa-t-elle. Cela coulait de source. Lorsque Grace et Jerry avaient mentionné les horaires si particuliers de Ryan, ils auraient tout aussi bien pu invoquer ses divers hobbies sportifs : le golf au practice de Chelsea Piers, le vélo en salle à SoulCycle, la musculation au club du coin et, qui sait, quelques-uns des derniers exercices en vogue avec son nouveau copain, Ivan Gray.

« Yoga ? » suggéra-t-elle.

Le visage de Ryan refléta clairement l'opinion qu'il avait du yoga. « La boxe, dit-il. Il est le propriétaire de Punch. »

Laurie n'était pas précisément fanatique de gym, mais elle avait entendu parler des salles de sport branchées dédiées à la boxe. Leurs affiches publicitaires tapageuses ornaient les quais du métro et le flanc des bus, exhibant de superbes et jeunes New-Yorkais portant vêtements de gym dernier cri et gants de boxe. À propos de boxe, elle aurait bien fait de Ryan Nichols son punching-ball.

« J'apprécie réellement votre suggestion, dit-elle froidement. Mais je ne pense pas que cette affaire corresponde à l'émission. Elle date de trois ans à peine. Je suis certaine que l'enquête est toujours en cours.

— La vie d'Ivan a été complètement dévastée. Nous pourrions l'aider.

— S'il est propriétaire de Punch, il n'est apparemment pas tout à fait détruit. Et s'il a tué cette femme pour son argent, je n'éprouve aucune envie de l'aider. Il pourrait se servir de nous comme publicité gratuite pour son club. »

Laurie ne put s'empêcher de se rappeler les ennuis que lui avait causés Ryan à peine quelques mois plus tôt. Il n'était même pas encore officiellement engagé qu'il avait décrété le cas d'une femme déjà condamnée pour le meurtre de son fiancé incompatible avec son émission – tout ça parce qu'il était convaincu de sa culpabilité.

Ryan regardait l'écran de son iPhone. S'il avait été son fils, Laurie lui aurait dit de le ranger.

« Sans vouloir vous contredire, Ryan, il ne s'agit pas encore d'une affaire classée », poursuivit-elle d'un ton narquois. Le meurtre de son mari était resté non résolu pendant cinq ans. Malgré l'absence de suspect, la police de New York lui avait assuré qu'ils ne lâchaient pas l'enquête. « Je ne veux surtout pas gâcher nos relations avec les forces de l'ordre en interférant avec leurs recherches. »

Ryan tapotait son écran. Quand il eut fini, il remit son téléphone dans sa poche et leva les yeux. « Eh bien, nous allons écouter la version d'Ivan. Il est dans le hall. »

4

Un seul mot vint à l'esprit de Laurie quand elle vit Ivan Gray entrer dans son bureau : massif. L'homme était massif. Au moins un mètre quatre-vingt-dix. Mais ce n'était pas sa taille qui vous frappait d'emblée, plutôt sa silhouette puissante, tout en muscles. Ses cheveux courts, teints en brun. Ses yeux noisette pailletés de vert.

Elle hésita à lui tendre la main, s'attendant à ce qu'il lui broie les doigts, et s'étonna qu'il la salue d'une poignée de main normale, humaine, loin de l'étau qu'elle redoutait.

« Je vous remercie de m'avoir invité, Laurie. » Elle ne l'avait pas invité, en fait, et elle ne l'avait pas non plus autorisé à l'appeler par son prénom.

« Il faut dire que Ryan dit beaucoup de bien de vous, répliqua-t-elle d'un ton impassible.

— C'est réciproque, dit Ivan, gratifiant Ryan d'une tape amicale sur le bras. Quand je l'ai vu arriver à sa première séance, j'ai pensé : Ce type ne va pas tenir plus de vingt minutes. Mais il s'entraîne dur. Il sera même capable de se défendre contre un de mes meilleurs boxeurs s'il continue comme ça – mettons contre une boxeuse. »

C'était le genre de plaisanterie qui rappelait immédiatement au non-initié – en l'occurrence Laurie – qu'il ne faisait pas partie du sérail. Laurie aurait aimé que Ryan montre le même zèle dans l'apprentissage des règles de base du journalisme qu'à la boxe. Elle se força à sourire.

En temps normal, elle aurait planché sur l'affaire pendant des heures avant d'interroger le suspect principal. Mais là, elle se demandait juste quelle transition elle allait bien pouvoir trouver entre l'engouement de Ryan pour la boxe et le meurtre d'une femme. Une fois qu'elle eut invité Ivan à s'asseoir sur le canapé, elle décida d'aller droit au but. « Donc, Ryan m'a dit que vous aimeriez que nous réouvrions l'enquête sur la mort de Virginia Wakeling.

— Vous pouvez appeler ça une réouverture, si vous le désirez, mais si vous voulez mon avis, la police de New York n'a jamais mené de véritable enquête. Il leur a suffi d'apprendre qu'une femme de soixante-huit ans sortait avec un homme de quarante-sept ans, pour arrêter leur opinion. Sans même se préoccuper de l'absence de preuves contre moi. »

Laurie fit un simple calcul mental. Virginia était morte trois ans auparavant, Ivan avait cinquante ans aujourd'hui. Il en paraissait plutôt quarante, mais elle supposa qu'il avait un peu aidé la nature dans ce domaine. Il était bien bronzé, pour un mois de janvier, et ses cheveux courts dissimulaient probablement un début de calvitie.

L'histoire avait fait la une des médias à une époque si récente que Laurie se rappelait la plupart des faits de mémoire. D'après les informations qu'elle avait rassemblées, l'argent de Virginia était au cœur de l'enquête de la police. À sa mort, son mari, véritable génie de l'immobilier, avait laissé à Virginia une fortune colossale. Laurie n'osait imaginer les réactions de la famille Wakeling et de leurs amis quand elle avait commencé à sortir avec son coach personnel de vingt et un ans plus jeune qu'elle.

Pourtant, en dépit des dires d'Ivan, ce n'était pas seulement son âge et sa profession qui faisaient de lui un coupable tout désigné.

« Sans vouloir vous contredire, dit Laurie, parler d'un manque total de preuves n'est pas tout à fait juste, n'est-ce pas ? Le mobile, après tout, est une sorte de preuve. Il y a eu des irrégularités financières, si mes souvenirs sont exacts. »

Après la mort de Virginia, la police avait découvert que plusieurs centaines de milliers de dollars avaient servi à couvrir diverses dépenses d'Ivan. Ses enfants maintinrent catégoriquement qu'elle n'avait pas autorisé ces frais. Ils supposaient qu'elle avait peut-être découvert qu'Ivan la volait, et qu'elle avait envisagé de porter plainte contre lui. Ce qui lui aurait donné un mobile puissant de la réduire au silence.

« Il n'y a rien eu d'irrégulier, répliqua-t-il. Oui, elle m'a un peu aidé financièrement. Et elle m'a fait cadeau d'une Porsche pour mon anniversaire. J'ai essayé de refuser. C'était beaucoup trop généreux, mais elle a insisté. Elle m'a dit qu'elle se réjouissait à l'idée de rouler l'été dans la voiture décapotée. Que c'était un cadeau autant pour elle que pour moi. »

Laurie ne se rappelait pas cette histoire de Porsche, mais même une voiture de ce prix ne représentait pas grand-chose au regard des sommes en jeu. « Dans mon souvenir, il y avait bien plus qu'une voiture. Il manquait des fonds substantiels.

— C'est faux. » Il tapa son poing droit dans sa paume gauche pour accentuer son propos. Laurie tressaillit. Ce n'était pas la première fois qu'elle prenait conscience qu'elle parlait peut-être à un tueur. C'était la nature de son travail. Une vision sinistre lui traversa soudain l'esprit : il soulevait Virginia Wakeling et la jetait dans le vide depuis la terrasse du musée. L'assassin devait être très fort, et l'homme qui lui faisait face avait le profil requis.

C'est d'une voix calme qu'Ivan poursuivit son explication. « Il ne manquait pas d'argent. Comme je l'ai dit, elle a réglé quelques petites factures pour moi, plus la voiture. Le reste était un investissement dans Punch. C'est mon club. »

Laurie indiqua d'un signe de la tête qu'elle était au courant de l'existence de sa société.

« C'était mon rêve et Virginia le savait. Elle était une cliente. Je l'avais un peu entraînée à la boxe – rien de violent, quelques sauts à la corde et frappes dans le vide. C'est un formidable exercice physique, totalement différent du reste. Les gens adorent ce sport, et je savais que mon projet était rentable. Je ne lui ai jamais demandé de m'aider. J'ai été sincèrement bouleversé quand elle m'a dit qu'elle m'avancerait la mise de fonds initiale. J'ai trouvé une salle de boxe traditionnelle et convaincu le propriétaire de me la vendre afin de la transformer en un club branché. Il continue à travailler avec moi, mais l'affaire m'appartient à cent pour cent. Virginia a cru en moi. Elle savait que je réussirais, et j'ai réussi. »

Il ne faisait aucun doute qu'il était fier de son œuvre. L'avait-il bâtie sur le meurtre d'une femme innocente ? « Quelle somme vous a-t-elle avancée ?

— Cinq cent mille dollars. »

Laurie écarquilla les yeux. Des gens avaient tué pour beaucoup moins.

« Je ne comprends pas, Ivan. Si elle a investi dans votre affaire, pourquoi n'avez-vous pas un accord écrit ou une autre preuve de ses intentions ? D'après ce que j'ai lu à l'époque, les enfants étaient catégoriques : leur mère n'aurait jamais accepté de vous donner une telle somme.

— Parce que c'est ce que Virginia leur a dit. Ses enfants étaient cupides. Ils ont tout obtenu sur un plateau d'argent, et ce n'était jamais assez. Un seul regard leur a suffi pour supposer que j'étais un opportuniste. Pour avoir la paix, Virginia leur a assuré qu'elle ne me donnait rien. Elle ne m'aurait jamais laissé leur dire qu'elle avait payé la Porsche. Ils avaient sans doute deviné qu'elle le leur cachait. Je gagnais décemment ma vie comme coach sportif, mais je n'aurais jamais dépensé autant d'argent pour une voiture. Cependant, après la mort de Virginia, ils m'ont présenté comme une sorte de voleur à la police.

— Dépenser son argent pour des voitures de sport luxueuses est une chose. Vous ne pensez pas qu'une mère aurait dit à ses enfants qu'elle investissait une somme substantielle dans une affaire ? »

Il secoua la tête. « Je sais qu'elle le leur a caché. Ne me faites pas dire ce que je n'ai pas dit : Virginia aimait ses enfants, elle était très proche d'eux. Mais ils ne connaissaient pas vraiment leur mère. Elle était à un tournant de sa vie quand elle a été tuée. Bob – son mari – était décédé depuis cinq ans. Sa vie n'était plus uniquement celle d'une épouse et d'une mère. Elle était indépendante et s'investissait avec beaucoup de satisfaction dans ses activités philanthropiques. Elle s'était écartée de certaines causes soutenues par Bob et avait choisi les siennes. Dont, bien sûr, ses fonctions au sein du conseil d'administration du Met. »

Laurie ne put s'empêcher de remarquer la douceur de la voix de cette armoire à glace quand il parlait de Virginia. « Et votre club de boxe dans tout ça ?

— Je dirais qu'elle était heureuse – réellement, sincèrement heureuse – de se forger sa propre identité. Mais ses enfants critiquaient tout. Ils voulaient la garder sous cloche. Ils refusaient de la voir changer, et je faisais partie du changement. Nous envisagions sérieusement de nous marier. J'avais déjà acheté une bague. Mais elle n'était pas prête à l'annoncer à sa famille. Virginia croyait qu'une fois Punch sur les rails, ses enfants finiraient par m'accepter. C'est pourquoi elle n'a rien dit à personne.

— Mais il doit y avoir une trace des chèques qu'elle a signés, quelque chose prouvant qu'elle consentait à ces dépenses.

— Elle faisait tout électroniquement. Virginia était plus âgée que moi, mais bien meilleure dans les opérations en ligne. Elle pouvait envoyer une centaine de milliers de dollars à une œuvre caritative en quelques clics. »

Ou alors, pensa Laurie, vous connaissiez ses mots de passe et imaginiez qu'elle était si riche et généreuse qu'elle ne remarquerait pas le trou dans la caisse.

« Elle a viré environ la moitié de cet argent directement à mon associé à titre de versement initial, expliqua Ivan, et ensuite l'autre moitié a payé les équipements, l'amélioration du local – les coûts de lancement d'une affaire. Mais ce n'était pas de l'argent perdu. C'était un projet dans lequel elle croyait, qui aurait représenté une part de nos revenus après notre mariage. »

Ryan était resté muet jusqu'à présent, mais à le voir penché sur son siège il était clair qu'il brûlait d'intervenir. « C'est exactement ce que je vous ai dit, Laurie. Ivan avait l'image du coupable idéal depuis le début, mais il n'avait en réalité aucun motif financier de s'attaquer à Virginia. Et surtout, il n'y avait pas le moindre indice prouvant que l'argent placé par Virginia dans Punch était volé. Même si Ivan l'avait arnaquée...

— Ce que je n'ai pas fait... », se récria Ivan.

Ryan le coupa d'un geste de la main. « Bien sûr que non. Mais supposons qu'elle l'ait accusé d'avoir pris cet argent sans son autorisation, cela aurait été sa parole contre celle d'Ivan. Ils n'étaient pas encore officiellement fiancés, mais avaient clairement parlé de se marier dans le futur, comme le prouve l'achat d'une bague chez Harry Winston. Elle avait visiblement fait d'autres dépenses pour lui, y compris l'achat de la Porsche. En tant qu'ancien procureur, je peux vous affirmer qu'aucun avocat n'aurait pu démontrer qu'Ivan était coupable de vol au-delà du doute raisonnable. Au pire, ils seraient parvenus à une sorte d'arrangement où il l'aurait remboursée de son investissement. »

Le raisonnement de Ryan était d'une logique imparable. En l'occurrence, la seule conséquence du meurtre de Virginia pour Ivan aurait été qu'il ne pourrait jamais l'épouser pour sa fortune. Sa mort avait aussi attiré l'attention sur ses finances, faisant automatiquement de lui le suspect numéro un. Laurie n'avait plus qu'à s'incliner devant les deux hommes. Il avait suffi d'une brève entrevue pour qu'ils réussissent à transformer radicalement l'image qu'elle avait d'Ivan. Désormais, elle pouvait se ranger à son point de vue, à savoir qu'il n'avait rien à gagner et tout à perdre dans le meurtre de Virginia.

Ivan dut sentir qu'elle commençait à pencher de son côté. « Je vous le jure, Laurie, ce n'est pas moi qui l'ai tuée. J'aimais Ginny. C'est ainsi que je l'appelais. Elle m'avait dit que c'était son petit nom quand elle était jeune, mais que son mari avait voulu qu'on l'appelle Virginia lorsqu'il avait commencé à être connu. Nous nous serions mariés quelques mois plus tard si elle avait vécu, et nous aurions été heureux. »

Ryan ajouta : « Laurie, je sais que vous détestez que je marche sur vos plates-bandes, mais croyez-moi : ce cas sera un succès pour *Suspicion*. Il est parfait. En outre, nous viendrons en aide à un homme honnête. »

En temps normal, Laurie aurait attendu de maîtriser tous les éléments disponibles sur l'affaire avant de poser la question cruciale. Mais, au risque de brûler les étapes, elle la posa directement. Elle devait savoir : « Si ce n'est pas vous qui avez tué Mme Wakeling, qui l'a fait ? »

Voyant Ivan se tourner aussitôt vers Ryan au lieu de répondre à la question, elle sut que son premier instinct ne l'avait pas trompée. Quand le silence se prolongea, elle fit mine de se lever de sa chaise. « Bien, tout cela va me donner matière à réflexion.

— Non, attendez ! s'exclama Ivan. J'ai mon hypothèse, bien sûr, croyez-moi. Ainsi que des faits pour l'appuyer. Mais j'ai une séance d'entraînement avec une star de cinéma dans un quart d'heure et je ne m'attendais pas à ce que vous écoutiez aussi longuement mon point de vue. Je préfère être sûr que vous avez vraiment sélectionné l'affaire de Virginia avant de vous communiquer des noms. J'ai réussi à continuer à vivre ma vie, même si je sais qu'une quantité de gens me prennent pour un meurtrier. Si je remue toute cette affaire à nouveau, je veux que ce soit pour une bonne raison. »

Laurie ne savait que penser des arguments d'Ivan. D'un côté, il lui semblait qu'un innocent aurait saisi l'occasion de blanchir son nom. De l'autre, elle imaginait Ryan faisant des pieds et des mains pour qu'Ivan se présente au studio, auquel cas il était compréhensible qu'il hésite à en dire trop.

« C'est normal, dit-elle. Prenons un jour de réflexion. Nous pouvons nous revoir demain si nous jugeons que cela en vaut la peine. »

5

Grace et Jerry déboulèrent dans le bureau de Laurie à la seconde où Ryan en sortait avec Ivan.

« Voilà donc ce que Ryan mijotait depuis ce matin ? demanda Jerry. Ivan Gray ? J'espère que ce n'est pas dans l'intention de t'inciter à pratiquer la boxe.

— Je suis surprise que tu l'aies reconnu au premier coup d'œil, dit Laurie. Je crois que je ne l'aurais pas identifié.

— J'étais vraiment accro à l'affaire Wakeling et j'ai lu tout ce qui a été écrit sur le sujet, expliqua Jerry.

— Mets-moi au courant, lui dit Laurie.

— Dès la nouvelle de sa mort, les médias ont insisté sur le rôle d'Ivan dans sa vie. Ils ont commencé par dévoiler qu'il était son coach dans un club de remise en forme très privé dissimulé près du Plaza Hotel, puis ils ont révélé leur relation. Il l'accompagnait la nuit où elle est morte. Le temps passant, l'effervescence médiatique s'est dissipée. Ivan est parvenu à rester à l'abri des journaux.

— Tu t'es drôlement bien renseigné.

— Réfléchis-y, Laurie. Virginia Wakeling est la seule personne qui soit jamais morte à un gala du Met.

— Revenons à Ivan », reprit Laurie. Elle nota mentalement que le public aimerait peut-être l'entendre raconter comment il avait préservé sa vie privée durant les années qui avaient suivi.

« À la minute où j'ai vu Ryan introduire Ivan Gray dans ton bureau, j'ai su qu'il ferait tout pour qu'il participe à l'émission », dit Jerry.

Grace prit le relais. « Ryan aime quand ça lui tombe tout cuit dans le bec. Et depuis quelque temps, il ne parle que de son club de boxe. Au fond, Ivan Gray pourrait être un bon sujet pour l'émission. Il représente un profil nouveau de suspect, et ça n'est pas sans intérêt.

— Laurie, quel est ton point de vue sur lui ? demanda Jerry. Qu'est-ce que tu en as pensé ? »

Elle haussa les épaules. « L'entrevue a été brève, mais mon instinct me dit que ce n'est pas un sujet pour nous. C'est trop récent. Je suppose que la police n'a pas fini d'enquêter. Et peut-être suis-je injuste de me baser sur la différence d'âge et le montant des sommes en jeu, mais Ivan ne m'a pas paru honnête. Tu me connais : je ne range pas quelqu'un dans la catégorie meurtrier sans avoir des preuves sérieuses, mais je peux comprendre pourquoi la famille de Virginia avait des doutes sur ses intentions.

— Tu penses donc que c'est un gigolo, conclut Grace.

— C'est toi qui le dis, pas moi.

— Le décor serait unique, dit Jerry. Je veux parler du Met ! »

Reconnaissant que prolonger la discussion ne ferait pas avancer les choses, Grace annonça qu'elle regagnait son bureau, mais que Laurie pouvait la rappeler si elle avait besoin d'elle. Une fois qu'elle fut partie, Jerry continua à défendre son point de vue.

« Laurie, on ne pourrait rêver d'un décor plus extraordinaire, voire emblématique. Cette exposition annuelle des costumes est l'une des plus célèbres manifestations dans le monde. Et la nuit où Virginia a été tuée, elle avait pour thème "La mode et les premières dames". Y étaient présentées les tenues des épouses des présidents américains à travers l'histoire. Je ne veux pas être cynique, mais même si nous nous contentions de reprendre ce qui a déjà été filmé aux actualités, cette séquence à elle seule serait un must pour nos téléspectateurs.

— Je sais, Jerry. Mais nous ne sommes même pas sûrs que le musée nous autoriserait à filmer…

— Laisse-moi m'en occuper. Je peux passer quelques coups de fil. »

Laurie s'opposait rarement à Jerry, mais elle le stoppa dans son élan. Elle savait que le gala du Met était le plus grand événement de collecte de fonds de l'année. Elle savait aussi que les gens organisaient des soirées chez eux pour attribuer le prix des célébrités les mieux habillées sur le blog du Red Carpet. En tant que membre du conseil d'administration du musée, Virginia aurait été au premier rang pour le Red Carpet. Laurie n'avait pas besoin de Jerry pour connaître toutes les raisons qui feraient de cet événement un carton à la télévision.

« Laurie, continua Jerry d'un ton persuasif, je n'ai pas à te dire comment diriger ton émission, mais en temps normal tu voudrais au moins faire quelques recherches avant de prendre une décision. Écoute, nous avons eu le bonheur d'innocenter une femme injustement condamnée dans notre dernière série. Mais ce ne sera pas le cas chaque fois. Il arrive souvent que ceux qui sont soupçonnés d'un crime soient ceux qui l'ont commis. Si Ivan est coupable, alors notre émission pourrait au moins le prouver.

— Tu as raison en théorie. Mais Ryan n'est pas objectif. Son nouveau coach est en train de devenir son meilleur ami. Si nous avions Alex, peut-être…

— Cette option n'est plus envisageable. »

Laurie ressentit sur-le-champ la morsure des mots, mais n'en voulut pas à Jerry. Il voulait seulement dire qu'Alex ne faisait plus partie de l'émission. Il ne pouvait se douter qu'Alex ne faisait peut-être plus partie de sa vie.

« Ryan s'est débrouillé mieux que nous ne le pensions », dit Jerry. Les chiffres de l'audimat de leur plus récent épisode avaient été aussi élevés que ceux de la dernière émission présentée par Alex.

« Soit, admit-elle, il n'en reste pas moins que Ryan n'est pas objectif. Je me suis battue bec et ongles avec lui la dernière fois parce qu'il était convaincu d'avoir raison – or il avait tort. Je peux déjà imaginer le même scénario avec Ivan, mais cette fois en pire. Ryan serait le contact privilégié avec le suspect principal. »

Jerry hocha la tête. Il avait compris le point de vue de Laurie. Elle ne prendrait pas le risque de laisser le contrôle de son émission à quelqu'un d'autre. « Bon, d'accord. Pas d'enquête sur Virginia Wakeling. On trouvera autre chose. »

Il s'apprêtait à quitter son bureau quand elle l'arrêta. « Renseigne-toi pour savoir s'il y a une possibilité de filmer au Met. »

Jerry, qui croyait le sujet clos, fut complètement pris au dépourvu.

« C'est moi qui prêche l'ouverture d'esprit, non ? demanda Laurie. Autant commencer tout de suite. »

6

Une fois seule, Laurie s'assit à son bureau et regarda la photo qui y trônait : Greg, Timmy et elle dans les Hamptons au bord de la mer, dans la maison d'un ami. Trois mois plus tard, un homme s'approchait de Greg pendant qu'il poussait Timmy sur la balançoire d'un square et mettait fin à sa vie en lui tirant une balle dans le front.

Après la mort de Greg, elle avait traversé une période où elle avait eu du mal à travailler, puis souffert d'une succession de flops. Elle avait renoncé à développer l'une de ses meilleures idées – une émission qui reprenait toute l'histoire d'une affaire classée en partant du point de vue des suspects – simplement parce qu'elle avait eu peur de passer pour une veuve obsédée par le meurtre non élucidé de son mari.

Le programme enfin lancé, le succès avait été immédiat. Plus surprenant encore, la police avait finalement pu identifier le tueur que Timmy avait toujours appelé « Z'yeux bleus ». Depuis, elle voyait en *Suspicion* davantage qu'un job. Elle considérait l'émission comme un moyen d'aider les gens.

Aujourd'hui, en regardant le visage de Greg sur la photo, elle reconnut enfin que le cas de Virginia Wakeling la tarabustait. Pas uniquement à cause du rôle de Ryan. C'était la façon dont elle avait été amenée à aborder l'affaire – par la rencontre d'Ivan. Certes, Ivan avait dit qu'il aimait Virginia et qu'il voulait l'épouser. Mais il ressemblait davantage à un homme désireux de blanchir son nom qu'à un homme qui pleurait la femme avec laquelle il voulait passer le reste de sa vie.

Si elle ne s'était pas véritablement intéressée à ce cas auparavant, c'est qu'elle n'avait encore jamais eu de contact avec quelqu'un qui soit affecté par la mort de Virginia.

Pourtant Ivan Gray n'était pas la seule personne dans la vie de Virginia Wakeling.

Elle ouvrit son ordinateur et chercha sur Google la nécrologie de Virginia Wakeling. L'article du *New York Times* était interminable. Elle ne put s'empêcher de noter qu'il commençait non par les activités de Virginia, mais par un résumé du travail accompli par son mari Bob. L'entrepreneur avait fait fortune en transformant une zone industrielle sur le déclin de Long Island City en un quartier florissant de résidences luxueuses et de restaurants branchés, le tout à quelques minutes de Manhattan.

La chronique se poursuivait par les engagements philanthropiques de Virginia après la mort de son mari cinq ans plus tôt. Elle avait fondé une association caritative qui promouvait l'alphabétisation des enfants en leur distribuant des livres neufs dans les quartiers déshérités. Elle avait récemment été honorée par Dress for Success, une fondation qui fournissait des vêtements de travail à des femmes désireuses de subvenir à leurs besoins. Suivait une longue liste d'organisations et institutions artistiques et culturelles. *Mme Wakeling laisse derrière elle sa fille, Anna Wakeling, son gendre, Peter Browning, son fils Carter, et ses petits-enfants Robert III et Vanessa.*

Il était trop tôt pour savoir si Ivan Gray était digne de confiance ou non, mais elle le croyait sur un point : après avoir vécu des décennies en tant qu'épouse et mère, Virginia avait entamé une nouvelle phase de son existence. Elle avait dû être aimée, sinon par Ivan, du moins par d'autres. Elle avait deux enfants qui avaient perdu leur père, puis leur mère à seulement cinq ans d'intervalle. Comme Laurie et Timmy à une époque, ils se couchaient tous les soirs en se demandant qui avait tué leur mère, si quelqu'un l'avait tuée, et pourquoi.

Quand elle considérait l'affaire de leur point de vue, et non celui d'Ivan, Laurie ne pouvait s'empêcher de se sentir concernée. Elle avait promis de garder l'esprit ouvert, et c'est ce qu'elle ferait.

7

Leo Farley sauta dans la voiture qui l'attendait devant l'immeuble de Randall's Island comme s'il avait vingt ans de moins.

Il en avait soixante-cinq. Si quelqu'un lui avait demandé dix ans auparavant de regarder dans une boule de cristal et de se représenter sa retraite, il n'aurait jamais imaginé sa vie actuelle. Sa femme, Eileen, était morte beaucoup trop jeune. Ensuite le mari de sa fille, Greg, avait été assassiné dans des circonstances que personne n'aurait pu prévoir. Leo n'avait jamais été du genre à prédire l'avenir, toutefois il avait toujours pensé qu'il serait fidèle au poste jusqu'à ce que vienne l'âge de la retraite.

Mais contrairement à toute attente, cette retraite, il l'avait prise six ans plus tôt, à cinquante-neuf ans, pour aider sa fille, Laurie, à s'occuper de son fils, Timmy. Il était passé des séances de briefing et des informations classifiées aux céréales du petit déjeuner, promenades à St David et poulet grillé dans l'appartement de sa fille.

S'il avait su que de commissaire en chef de la police de New York il deviendrait retraité adjoint à l'éducation de son petit-fils ! Et soudain, trois mois plus tôt, on l'avait invité à rejoindre une unité antiterroriste de la police de New York dont le quartier général se trouvait de l'autre côté du Triborough Bridge dans l'Upper East Side. Il travaillait plusieurs soirs par mois, comme aujourd'hui, et pouvait effectuer une partie de ses tâches à la maison, ce qui lui laissait le temps d'aider Timmy et Laurie.

Lorsqu'il regagna Manhattan, Laurie avait déjà disposé le dîner sur la table.

« Si je n'étais pas dans le secret, dit-il en entrant dans l'appartement, je croirais que ma fille a appris à faire la cuisine. »

Laurie avait une multitude de talents, mais la cuisine n'était pas son fort. « Je pourrais te dire que j'ai découvert une nouvelle recette, dit-elle.

— Je t'aime beaucoup, ma chérie, mais je suis flic et on ne me la fait pas, à moi.

— C'est un nouveau service de restauration à domicile appelé Caviar. Je ne peux même pas me vanter de l'avoir découvert. C'est Timmy qui s'est chargé de la commande. »

Leo examina la sélection des plats : steak de premier choix, purée de pommes de terre et carottes, frites, salade verte.

« Désolée de te piquer ton seul jour "viande rouge" de la semaine, papa, dit Laurie, mais cet endroit a la réputation d'être fantastique. » Un an plus tôt, Leo avait été traité pour un problème cardiaque à l'hôpital Mount Sinai et on lui avait posé deux stents dans le ventricule droit. Il aurait préféré que Laurie n'en sache rien, car désormais elle était déterminée à le transformer en un misérable vegan au régime sans gluten.

Leo tartinait sa dernière tranche de viande d'une couche de sauce béarnaise quand Laurie changea de conversation, passant d'une vente aux enchères caritative oganisée par l'école de Timmy au choix du sujet de son émission.

« Tu te souviens de Virginia Wakeling ? Cette femme membre du conseil d'administration du Met qui a été poussée depuis la terrasse du Met le soir du gala annuel. »

À cette époque, Leo avait déjà pris sa retraite, mais l'histoire avait fait les gros titres pendant plus de deux semaines. « Une scène horrible. Quelle affreuse façon de mourir. Officiellement, l'affaire n'est pas classée, mais de source officieuse on dit que si elle a été assassinée, c'est son amoureux qui s'en est chargé. Qu'il courait après son fric.

— Sauf, selon lui, qu'elle lui avait prêté de l'argent de son plein gré », dit Laurie. Elle mit son père au courant de tout ce qu'elle avait appris le matin même de la bouche d'Ivan Gray. « Quoi qu'il en soit, son filon s'est asséché une fois qu'elle est morte.

— N'est-ce pas précisément le genre de cas que tu cherches pour ton émission ? demanda Leo. Tu ne peux pas te contenter d'examiner cette histoire sous un seul angle. »

Elle haussa les épaules.

« Ça ne te ressemble pas, Laurie. Qu'est-ce qui te tracasse ?

— C'est Ryan qui a proposé ce sujet. »

Leo reposa sa fourchette dans son assiette. Il n'avait rencontré Ryan Nichols que deux fois, mais l'homme lui avait paru buté et orgueilleux. « Il connaissait Mme Wakeling ?

— Non, bien pire. Il est copain avec le boyfriend, Ivan Gray. Il est absolument convaincu de son innocence et que la police s'est forgé à tort une opinion toute faite de lui.

— Dis donc, maman ? » Timmy prenait trois frites à la fois.

« Oui ?

— Ce n'est pas un reproche, mais il me semble que les autres mères ne parlent pas de meurtre pendant les repas. »

Laurie donna à son fils un petit coup dans les côtes. « Comment pourras-tu devenir le meilleur détective de toute l'Amérique du Nord si nous ne contaminons pas ton esprit dès ton jeune âge ? »

Leo les interrompit. « Le chef de la sécurité du Met fait partie de cette unité d'intervention antiterroriste que j'ai rejointe. Nous avons eu une réunion sur les menaces potentielles dans des lieux très fréquentés. Le commissaire du district de Central Park fait partie du groupe. Tu veux que je voie ce que je peux trouver sur l'enquête en cours ? »

Laurie lui adressa un sourire ravi pendant qu'elle débarrassait les assiettes. « Y a-t-il quelqu'un dans cette ville que tu ne connais pas, papa ? »

Leo passa deux coups de fil – un au chef de la sécurité du Met et l'autre à un inspecteur de la crim.

Ils n'entrèrent pas dans les détails, mais arrivèrent tous les deux à la même conclusion.

Il rejoignit Laurie dans la cuisine où elle faisait la vaisselle. « Navré, mon petit, je ne suis pas un fan de Ryan, mais ce cas est cent pour cent ton rayon.

— En quoi ?

— L'affaire est gelée jusqu'à présent dans la mesure où la police ne travaille sur aucune piste active, mais il reste apparemment une quantité d'angles à explorer. Un garde de la sécurité a vu Virginia Wakeling emprunter l'escalier, mais les caméras de surveillance étaient éteintes. Personne ne sait qui a pu se trouver avec elle sur la terrasse. Il y avait clairement beaucoup d'argent en jeu. Un certain nombre de gens avaient intérêt à ce qu'elle meure. »

Laurie essora l'éponge qu'elle tenait à la main et la lança sur le côté de l'égouttoir. « C'est intéressant, mais franchement j'aurais préféré que tu me dises que cette histoire n'était pas pour moi.

— Raté. D'après ce que je sais, tu pourrais faire quelque chose de formidable avec ça. Il leur faut une nouvelle piste, sinon le cas sera classé définitivement.

— J'hésite. C'est toujours moi qui ai eu le contact direct avec le principal suspect. Si nous choisissons cette affaire, je céderai une partie du pouvoir à Ryan.

— Bon, pour ce que ça vaut, le chef de la sécurité du Met a dit qu'il aimerait te rencontrer au moment qui te convient. Il était sur place le soir de la mort de Virginia. Je ne veux pas te dicter ta conduite, mais ne rate pas un bon sujet uniquement parce que c'est Ryan qui l'a proposé. Ne jette pas le bébé avec l'eau du bain. »

Leo nourrissait peu d'estime pour Ryan, mais il soupçonnait que Laurie avait ses raisons personnelles d'en vouloir au jeune avocat. Alex Buckley était en cause, pas Ryan. Elle semblait si malheureuse. Il lui manquait. Comment en aurait-il été autrement ? Il nous manque aussi à Timmy et moi, pensa-t-il.

8

Debout devant la baie vitrée de son salon, Alex Buckley contemplait les reflets des lumières de la ville sur l'East River. Il venait de mettre fin à une conversation mais avait encore le téléphone dans la main, se répétant les mots qu'il venait d'entendre à l'autre bout de la ligne.

Il savait depuis des semaines que son nom était pressenti, mais le processus entier lui avait paru aussi interminable et éreintant qu'un marathon de danse. Ce soir, cependant, il avait reçu un appel du sénateur senior de New York, qui s'était entretenu personnellement avec le président des États-Unis. Sa nomination était imminente.

« Waouh ! » s'écria-t-il d'un ton triomphant, levant sa main libre en un poing victorieux.

Il entendit son maître d'hôtel, Ramon, se racler la gorge en entrant dans la pièce. « Pas encore de neige, Ramon ? » demanda-t-il.

La météo prédisait la première neige de l'hiver. Ils avaient passé le nouvel an sans un seul flocon. Mais

Ramon avait autre chose à l'esprit. « Est-ce le coup de téléphone que vous attendiez ? demanda-t-il.

— En effet. Je dois me rendre à Washington la semaine prochaine pour remplir la suite du questionnaire requis pour la confirmation du Sénat. On m'a prévenu que le processus est épuisant.

— Si quelqu'un peut réussir haut la main, c'est bien vous, monsieur Alex. Je suis si content d'avoir été là pour répondre au téléphone. J'ai l'impression de faire un peu partie de l'histoire. »

Ramon avait pris une semaine de congé exceptionnelle pour rendre visite à sa fille, Lydia, à Syracuse. À soixante et un ans, il était aujourd'hui officiellement grand-père d'une petite Ramona. À son retour, il avait montré à Alex au moins une cinquantaine de photos du bébé. Il n'arrivait toujours pas à croire que moins de trente ans après avoir émigré des Philippines aux États-Unis, il avait une petite-fille blonde à la peau claire, citoyenne américaine de naissance. Ramon était l'un des Américains les plus patriotes qu'Alex connaissait.

« Merci, Ramon.

— Je sais qu'il est tard, mais il me semble qu'un toast s'impose pour fêter l'événement. »

Ramon tenait à son titre de maître d'hôtel, mais il était aussi l'assistant d'Alex, son cuisinier, son ami et son oncle d'adoption. Alex avait perdu ses parents plus de quinze ans auparavant, et été nommé tuteur légal de son jeune frère, Andrew. Andrew avait élargi la famille en épousant Marcy et en devenant père de trois adorables enfants, mais Alex considérait que Ramon faisait partie du clan Buckley.

Ramon partageait visiblement ce sentiment. Son visage rond rayonnait de la même fierté que si un membre de sa propre famille avait reçu cet appel. « Je prendrais volontiers un porto si vous voulez vous joindre à moi.

— Avec plaisir, monsieur. »

L'appel téléphonique du sénateur avait confirmé à Alex que le Président le nommait au poste de juge fédéral à la cour du district sud de l'État de New York. C'était l'un des postes les plus prestigieux de la cour pénale du pays. Un communiqué de presse serait publié dès le lendemain matin.

Ramon revint avec un petit plateau d'argent, chargé de deux verres de porto. « Pile au bon moment », dit-il en regardant par la fenêtre. La neige commençait à tomber.

Tandis qu'ils levaient leurs verres, Alex se rendit compte que s'il se réjouissait de cette nomination, une partie de lui-même aurait été plus heureuse si l'appel avait été celui de quelqu'un d'autre.

Il alla se coucher cette nuit-là en pensant non pas à sa future carrière de juge, mais à Laurie Moran. Un peu plus de deux mois auparavant, il avait pris un risque avec elle, lui disant qu'il avait besoin de prendre un peu de recul jusqu'à ce qu'elle soit prête à l'accueillir dans sa vie.

Il contempla la neige par la fenêtre, regrettant de ne pas la regarder tomber avec Laurie. L'appellerait-elle un jour ?

9

Laurie aimait et détestait New York tout à la fois. Certains jours, elle sortait dans la rue, levait la tête vers les gratte-ciel autour d'elle, plongeait dans l'anonymat de la foule des piétons sur les trottoirs, et pensait qu'elle avait de la chance de vivre dans la ville la plus excitante du monde. Mais parfois elle ne remarquait que le bruit des klaxons et des sirènes, les odeurs des pots d'échappement et des ordures.

C'est un allègre « J'aime New York » qui s'imposa quand elle sortit de son immeuble et découvrit de petits coussins de neige immaculée au bord du trottoir fraîchement dégagé. Elle répondit au salut de son marchand de café ambulant préféré et descendit sur le quai du métro de la Seconde Avenue juste au bon moment pour s'engouffrer dans son train qui arrivait, à moitié vide.

Puis, sans explication, le train s'arrêta brusquement entre deux stations. Le conducteur fit une annonce incompréhensible dans les haut-parleurs. Les lumières vacillèrent. Une femme apeurée se mit à taper en vain sur la vitre de la porte. L'homme à côté d'elle lui ordonna de cesser de frapper. D'autres passagers prirent parti dans le débat virulent – et inutile – qui s'ensuivit. Laurie ferma les yeux et attendit patiemment que la rame se remette en mouvement.

Lorsqu'elle sortit du métro, la neige dans la Sixième Avenue était noire de saleté, et les trottoirs couverts d'une gadoue grisâtre. Le trajet d'à peine trois kilomètres avait pris presque une heure.

Elle s'était remise à détester New York.

Quand elle arriva enfin au studio, elle trouva posés sur son bureau un grand latte macchiato et un croissant miniature de la boulangerie Bouchon.

« Tu es un ange », dit Laurie à Grace, ôtant l'écharpe vert jade qu'elle portait autour du cou. Le café était encore chaud.

« Quand tu n'es pas là à neuf heures vingt, je me dis qu'il t'est arrivé quelque chose et que ça mérite un petit remontant.

— J'étais coincée dans l'enfer du métro.

— Bon, j'aurais préféré avoir de meilleures nouvelles pour toi, mais Brett a débarqué il y a cinq minutes et a demandé à te voir illico presto. »

Décidément, ce n'était pas son jour !

La secrétaire de Brett Young, Dana, invita Laurie à entrer dans le sanctuaire privé du boss.

« Il est comment ? » demanda Laurie.

Dana fit un geste de la main qui signifiait : Furax, comme d'habitude. Mais on avait vu pire.

Quand elle pénétra dans le bureau, Brett était au téléphone. Il leva un doigt, dit à son interlocuteur de le rappeler, et raccrocha en faisant signe à Laurie de s'asseoir. Brett s'attendait à ce que le monde tourne plus vite que la musique.

« Pourquoi ne voulez-vous pas couvrir l'affaire Wakeling ? demanda-t-il.

— Qui a dit que je ne m'y intéressais pas ?

— Vous êtes donc décidée ? Pourquoi ne pas me l'avoir dit ?

— Ça date d'hier, Brett. On y réfléchit.

— C'est tout réfléchi. C'est le sujet idéal. Mieux que tout ce que vous avez fait jusqu'alors. »

L'affront la fit blêmir. « D'où tenez-vous ça, Brett ? Je pensais avoir mérité une certaine confiance depuis le temps. » Ils avaient réalisé quatre séries de *Suspicion*, et elles avaient toutes battu des records d'audience. Chaque épisode avait aussi déclenché une activité intense sur Twitter et Facebook, et le public des réseaux sociaux était venu grossir la tranche jeune et branchée de l'audience, particulièrement prisée par les annonceurs.

Brett fit un geste dédaigneux de la main, comme pour lui dire de ne pas s'en soucier. « C'est moi qui paye les factures, ce qui signifie que je flaire quand vous loupez le coche. Vous ne croyez pas que vous êtes en train de louper le coche ?

— Je suis franchement déconcertée par votre question, Brett.

— Mon petit doigt m'a dit que vous nourrissiez certains griefs contre le Monsieur Muscle de la dame ? Comment s'appelle-t-il déjà ? Igor ?

— Ivan. Ivan Gray.

— Un nom parfait pour un meurtrier. J'adore.

— Je n'ai aucun grief contre lui, Brett. Qu'il soit ou non un meurtrier. Mais je m'efforce d'être prudente avant de m'embarquer.

— Trois mots, Laurie : Je m'en fiche.

Elle résista à l'envie de lui dire que ça faisait quatre, avec l'élision. « Je me fiche qu'Ivan, Igor, je ne sais qui, soit coupable ou innocent. C'est une dame richissime en robe du soir, retrouvée morte en bas de la terrasse du Met durant leur événement le plus chic de l'année. Les cheveux noirs, la peau pâle, le sang, avec en toile de fond Central Park sous la neige. Célébrités en tenue de soirée. Il n'y a pas photo.

— Je n'ai pas dit non, Brett.

— Apparemment, vous n'avez pas dit oui non plus.

— Nous ne savons pas encore si la famille acceptera de participer. Nous ne savons pas si le Met nous laissera filmer. Il reste pas mal de travail à faire.

— Alors, foncez. Écoutez-moi bien, à moins que vous ne reveniez ici avec une bonne raison de refuser, votre prochaine affaire est Virginia Wakeling.

— Message reçu. »

Elle était sur le seuil de la porte de son bureau quand il l'arrêta. « Ne m'accusez pas d'être politiquement incorrect, Laurie, mais parfois je me demande pourquoi vous êtes si dure avec Ryan. Vous ressemblez à deux gamins qui se chamaillent dans le bac à sable. Je dois dire que c'est plutôt drôle à regarder. Il est célibataire, vous savez – un beau parti, si vous me demandez mon avis. »

Laurie parvint à garder le contrôle de son gobelet de café à moitié plein.

Elle était de retour dans son bureau et s'apprêtait à appeler Ryan quand une alerte du *New York Times* s'afficha sur son téléphone : *La Maison Blanche nomme une star du barreau au prestigieux siège de juge fédéral*.

Elle cliqua sur l'alerte et vit une photo d'Alex. C'était une de ses préférées, le portrait pris par le studio quand il avait rejoint leur émission en tant que présentateur. Ses yeux bleu-vert fixaient l'objectif derrière des lunettes cerclées de noir. Elle sentit son café trembler à nouveau.

Elle savait qu'Alex rêvait d'être juge à la cour de district fédérale. Il avait toujours craint que sa carrière d'avocat pénaliste ne fût un handicap pour cette nomination. Aujourd'hui, il obtenait enfin le poste de ses rêves.

Elle l'imagina recevant l'appel téléphonique d'un sénateur, voire de la Maison Blanche directement. Elle se demanda s'il avait pensé à elle, à lui communiquer la nouvelle, ou s'il avait définitivement décidé de continuer son chemin sans elle.

Ses pensées furent interrompues par un coup frappé à sa porte. C'était Ryan.

Elle ne put s'empêcher de lui lancer un regard noir. « Ryan, nous étions convenus de prendre une journée pour réfléchir. Vous n'aviez pas besoin de me court-circuiter auprès de Brett.

— Navré, Laurie. » Il n'en avait absolument pas l'air. « J'ai vu la façon dont vous regardiez Ivan hier. Vous ne le croyez pas.

— Vous ne me connaissez pas assez bien pour savoir ce que je pense, Ryan. Pour votre gouverne, j'ai fait quelques recherches hier soir pour m'assurer que cette

60

affaire n'était pas trop récente. » Elle estima inutile de lui dire que les coups de fil nécessaires avaient été passés par son père. « J'avais l'intention d'avancer dans l'enquête de toute façon. Tirer des conclusions hâtives et essayer de se mettre le patron dans la poche n'est pas le meilleur moyen de se faire des amis par ici.

— Avec tout le respect que je vous dois, Laurie, se faire des amis n'est pas ma priorité. Ivan sera là dans un quart d'heure. Il est prêt à nous parler des autres suspects. »

10

Ivan occupait un bon tiers du grand canapé bas de cuir blanc qui se trouvait devant les fenêtres de son bureau. Il adopta la pose qu'elle associait toujours aux mâles dits « alpha » : genoux écartés, pieds fermement plantés dans le sol, prenant le plus de place possible.

Il leur racontait la dernière fois où il avait vu Virginia Wakeling en vie. « Elle était si belle ce soir-là. À mes yeux, il n'y avait pas de différence d'âge entre nous. Le dîner venait de prendre fin et on préparait la scène pour les musiciens. Je suppose qu'il était environ neuf heures et demie. Nous traversions la salle – tout était installé autour du temple, ajouta-t-il, faisant référence à la pièce maîtresse des antiquités égyptiennes du musée, le temple de Dendour. Ginny était très demandée. Je me contentais de hocher la tête et de dire bonsoir. Mais quand le directeur du musée s'est entretenu avec Ginny, sa femme a voulu engager la conversation avec moi. Je lui ai dit que j'étais entraîneur sportif et elle m'a posé une quantité de questions sur les avantages comparés de la méthode Pilates et du yoga, des haltères et du cross training. Quand j'ai pu me libérer, je n'ai trouvé Ginny nulle part.

— Où étiez-vous quand vous avez appris qu'elle était morte ?

— Dans le hall principal. Je m'y étais dirigé après avoir constaté qu'elle n'était pas dans le temple. Je la cherchais quand j'ai entendu un cri de stupeur dans la foule, puis une femme a hurlé quelque chose à propos d'une femme en robe bleue. Au fond de moi j'ai su aussitôt qu'il était arrivé quelque chose à Ginny. Un garde a dit qu'elle avait demandé à monter sur la terrasse pour prendre l'air. Quelqu'un a dû la suivre dans l'escalier et la pousser.

— Vous nous avez affirmé que vous aviez des soupçons.

— Vous m'avez demandé hier qui a tué Ginny si je ne l'ai pas fait.

— C'est la question que je pose toujours quand nous commençons à travailler sur une nouvelle affaire.

— Bon. En premier lieu, vous devez ôter le *si* de la question. Je suis innocent. »

Une fois encore, Laurie pensa qu'il était plus soucieux de s'innocenter que d'identifier le meurtrier de Ginny.

« Nous savons que vous l'êtes », dit Ryan.

Laurie ignora la remarque de Ryan et s'adressa directement à Ivan. « Vous avez dit "en premier lieu". Quelles sont vos autres exigences ?

— Je veux que vous sachiez que je ne prends aucun plaisir à accuser qui que ce soit. Je n'ai aucune animosité envers quiconque, que l'inverse soit vrai ou non.

— Un sentiment qui vous honore. »

Ivan prit une profonde inspiration, comme pour s'armer de courage. « Cela fait trois ans que je me pose cette question, et je ne vois qu'une explication à la mort de Ginny : sa famille.

« Ils me haïssaient, continua-t-il, crachant ses mots. Ils me méprisaient. Me dédaignaient. Me honnissaient. Prenez tous les synonymes du dictionnaire. Ils me regardaient comme un sous-homme. J'ai tout essayé pour obtenir leur approbation. Le moindre commentaire – *vous portez une jolie robe, il fait beau aujourd'hui* – me valait de leur part un ricanement ou un regard exaspéré.

— De quels membres de la famille parlez-vous ?

— De Carter, Anna et Peter. Un front uni de mépris. » Laurie reconnut les noms cités par la notice nécrologique de Virginia. Carter était le fils, trente-huit ans alors, apparemment célibataire à l'époque de la mort de sa mère. Anna était la fille, de deux ans plus jeune que son frère. Peter était le mari d'Anna. Elle nota les trois noms sur son carnet posé sur ses genoux.

La voix d'Ivan s'adoucit. « Bon, au moins les petits-enfants, Robbie et Vanessa, m'aimaient bien, mais ils étaient très jeunes et il suffisait que je les soulève dans mes bras et les fasse tournoyer en l'air pour être leur meilleur copain. »

Il eut un sourire triste à la pensée que ces enfants auraient pu être ses petits-enfants par alliance si les choses avaient tourné autrement.

« Pourquoi la famille vous détestait-elle à ce point ? demanda Laurie.

— Demandez-leur, et ils vous diront que j'étais trop jeune, trop pauvre, et que je m'intéressais à leur mère pour une seule raison. Mais, franchement, je ne crois pas que leurs sentiments avaient quelque chose à voir avec moi personnellement. Ils auraient trouvé une raison pour désapprouver n'importe quel homme qui aurait plu à Ginny.

— Son mari était mort depuis cinq ans. Ils ne voulaient pas qu'elle soit heureuse avec un autre ? »

Laurie se souvint de sa dernière conversation avec Alex. *Je sais que j'ai l'air distant, Laurie, mais ça fait six ans.* Six ans depuis que Greg avait été assassiné, et pourtant elle avait repoussé Alex de si nombreuses fois qu'il s'était lassé d'attendre.

« Ils ne voulaient pas qu'elle change. Ginny aimait son mari – ne vous méprenez pas sur mes propos – mais dès le début de notre relation, je l'ai vue se libérer de son emprise. Elle était plus vive, plus drôle, plus vivante. J'aimerais dire que c'était grâce à moi, mais ce serait faux. Et ses enfants ne voyaient pas les choses du même œil. Pour eux, leur mère traversait une phase. Ils voulaient qu'elle reste exactement la même femme qu'au temps où elle était Mme Robert Wakeling.

— Cela explique peut-être pourquoi ils ne vous appréciaient pas, dit Laurie, mais de là à les soupçonner d'avoir tué leur mère…

— Ils étaient terrifiés à l'idée que je puisse avoir accès à la fortune familiale. Quand Ginny et moi parlions de notre futur mariage, nous discutions de la gestion de sa fortune. Elle possédait un capital immobilier de deux cents millions de dollars, plus la moitié des actions de Wakeling Development. »

Laurie faillit laisser échapper un sifflement. Elle écrivit *200 M* dans son carnet et souligna le chiffre trois fois.

« Évidemment, je devais signer un contrat de mariage, ce qui me semblait tout à fait normal. Mais elle estimait que ses enfants devaient être indépendants.

— Elle allait les déshériter ? demanda Ryan.

— Pas exactement. Après la mort de Bob, Anna et Carter ont pris en main l'affaire familiale et chacun détenait un quart du capital. Elle ne leur aurait jamais ôté le contrôle de la société. Ginny avait l'intention de leur laisser le reste du capital à sa mort. Mais elle persistait à penser qu'on est plus fort quand on se fait tout seul.

— Comme son mari, Bob, fit remarquer Laurie.

— Exactement. Elle donnait volontiers à quelqu'un de quoi démarrer – par exemple, ses enfants ont hérité de l'entreprise prospère de Bob, et elle m'a avancé de l'argent pour financer mon club. Mais elle voulait qu'ils travaillent pour gagner leur vie et, franchement, je pense qu'ils ne s'y attendaient pas du tout. Le projet de Bob à Long Island City était achevé. Elle voulait les encourager à travailler aussi dur que lui. Elle avait l'intention de modifier son testament pour laisser une grosse partie de sa fortune, en dehors de la société, à des fondations caritatives. »

Laurie avait lu des articles sur ces multimilliardaires qui déclaraient léguer la quasi-totalité de leur fortune à des œuvres de charité. Elle se demanda si Virginia avait été influencée par ce genre d'histoires.

« Avait-elle dit à ses enfants qu'elle allait refaire son testament ? » S'ils avaient eu connaissance de ce

66

souhait, c'était un mobile viable, car le testament en vigueur leur était favorable.

« Voilà tout le problème. C'est possible à mon avis, mais je ne peux pas le prouver. Le mari d'Anna, Peter Browning, est un avocat d'affaires spécialisé dans l'immobilier. Il était pratiquement le troisième enfant de Ginny, elle lui faisait totalement confiance. Il était également son exécuteur testamentaire. Mon hypothèse est qu'elle l'a mis au courant de ses intentions. Je l'ai dit à la police, mais j'ignore s'ils ont enquêté de ce côté. »

Laurie inscrivit : *Peter/exécuteur testamentaire/$$*, sur son carnet.

« Alors quel est le coupable d'après vous ? demanda-t-elle.

— Je n'en ai aucune idée. »

11

Pendant les minutes qui suivirent, Ivan tenta de brosser un bref portrait de chacun des membres de la famille de Ginny. Selon lui, Anna était la plus acharnée au travail et la plus profondément concernée par la bonne marche de la société. « Malgré son agressivité envers moi, je la plaignais. J'ai l'impression que Bob a toujours présumé que Carter serait le futur chef de l'empire familial, pour la bonne raison qu'il était un garçon et l'aîné. Mais Carter était le plus paresseux du clan. Anna au moins se donne du mal. Ginny, naturellement, savait que sa fille avait un réel talent pour les affaires, malgré tout Anna n'a jamais pu se débarrasser d'une sorte de rancœur.

— La personne qui a tué Virginia était forte, fit remarquer Laurie, s'efforçant de garder un ton neutre. Virginia elle-même ne semblait pas frêle sur les photographies que j'ai vues. Sa fille aurait-elle pu la pousser par-dessus le rebord de la terrasse ? »

Il secoua la tête. « Ginny était forte, en effet, c'est avec moi qu'elle s'était entraînée. Non, si Anna a participé à ce meurtre, elle n'a pas pu le faire sans aide.

— Par exemple celle de son mari, Peter », souffla Ryan.

Ivan hocha la tête. « Et/ou de son frère, Carter.

— Parlez-moi de lui », demanda Laurie.

Il haussa les épaules. « Il est plutôt doué, mais moins sérieux et plus enfant gâté que sa sœur. Une sorte de playboy. Il s'est marié à l'âge de trente ans, mais le couple n'a duré que deux ans. Il a dit à Ginny qu'il ne se remarierait jamais. Elle espérait qu'il changerait d'avis, mais il semblait déterminé à rester célibataire.

— Pouvez-vous penser à d'autres éventuels suspects ? » demanda Laurie.

Il demeura silencieux. Il semblait hésiter à parler franchement.

« Nous devons faire une enquête approfondie, Ivan. On ne peut pas tirer de conclusions hâtives.

— Vous devriez parler à Penny, l'assistante de Ginny. Penny Rawling.

— Elle se trouvait au Met cette nuit-là ? »

Ivan acquiesça. « Penny aurait tout donné pour y aller, mais Ginny n'avait au départ pas prévu de l'inviter. La plupart des personnalités en vue n'emmènent pas leurs assistants à ce genre d'événements. Ginny était extrêmement généreuse envers Penny. Trop, à mon avis. La mère de Penny avait longtemps été la secrétaire de Bob. Penny venait de passer son bac quand sa mère est décédée et Bob l'a engagée dans l'entreprise. À la mort de son mari, par loyauté, Ginny l'a prise comme assistante personnelle.

— Pourquoi aurait-elle tué quelqu'un d'aussi généreux envers elle ?

— Je n'ai pas dit ça. Je pense que ce sont ses enfants les coupables. Mais Penny pouvait se montrer rancunière. Elle avait espéré monter en grade et obtenir un job plus important au sein de Wakeling Development, pourtant il était clair que la famille ne voyait en elle qu'une assistante, pas très efficace de surcroît. D'après moi, elle était peu fiable, particulièrement distraite. Elle quittait souvent le bureau tôt et arrivait tard. Par fidélité à son mari, Ginny préférait fermer les yeux mais je n'aimais pas voir les gens profiter de sa gentillesse. Je l'ai à plusieurs reprises exhortée à prendre son travail plus au sérieux. »

C'était la seconde fois qu'Ivan évoquait la valeur travail. S'il disait vrai, il avait peut-être eu plus d'influence sur Virginia concernant les modifications apportées à son testament qu'il ne le reconnaissait voire ne le savait lui-même.

« Si Penny l'a agressée, c'est parce qu'elle pensait que je la licencierais une fois marié à sa patronne, la privant du petit héritage qu'elle espérait faire un jour. Pas grand-chose – soixante-quinze mille dollars –, mais cela représentait beaucoup pour Penny.

— Était-elle assez costaud pour jeter Virginia du haut de la terrasse ? »

Il secoua la tête. « Encore moins qu'Anna. Une vraie brindille. Mais j'ai mentionné son peu de concentration au travail. Elle était constamment au téléphone avec un ami mystérieux et semblait surtout soucieuse de ce qu'elle porterait au gala, après avoir remué ciel et terre pour y assister. J'ai eu l'impression que son soupirant y serait. Elle s'est pointée en compagnie de l'une des plus anciennes administratrices du musée dont le mari n'avait pas pu venir. » La voix d'Ivan se voila. « Mon

Dieu, j'espère que ce n'est pas elle. Je ne voudrais pas avoir joué un rôle, même indirect, dans la mort de Ginny en malmenant Penny.

— Vous n'avez pas l'air d'y croire vraiment, de toute façon.

— Eh bien... il y a tout de même un fait troublant. Penny, plus que d'autres, nous voyait souvent ensemble, Ginny et moi. Elle savait que c'était sérieux entre nous. Malgré la différence de nos origines, nous étions profondément amoureux. Nous nous comprenions. Nous nous comprenions réellement. » Son regard se troubla un instant. Pour la première fois Laurie eut l'impression que cet homme pleurait la perte de Virginia Wakeling.

Il cligna des yeux une ou deux fois avant de poursuivre. « Quand une certaine presse m'a dépeint comme un monstre assoiffé d'or, Penny ne m'a jamais défendu. Elle m'a au contraire porté un coup fatal en racontant que j'avais demandé à Ginny de m'acheter cette Porsche, ce qui était totalement faux. Je ne me suis jamais expliqué cette attitude. J'imagine qu'elle voulait me faire porter le chapeau, mais pour quelle raison ? »

Laurie noircissait son carnet de notes à toute allure. Elle leva les yeux et vit le regard de Ryan posé sur elle. Son expression signifiait : *Je vous l'avais bien dit.*

Il avait raison. Cette affaire était idéale.

Dès qu'ils eurent raccompagné Ivan à l'ascenseur, Ryan la regarda, interrogatif. « Et maintenant ?

— Je vais essayer d'obtenir la participation de la famille. Et de parler aux gens du Met. Les différentes pièces doivent s'emboîter pour que tout cela fonctionne. »

Elle s'attendait à ce qu'il veuille intervenir sur ces deux questions, mais il se borna à hocher la tête. Elle était la productrice, il était le présentateur. Il n'avait pas de rôle officiel à jouer jusqu'au début du tournage.

Tandis qu'il prenait la direction de son bureau, elle lui lança : « Ryan, c'était une super idée.

— Merci. Et vous aviez raison : m'adresser directement à Brett était déplacé. »

Ils étaient au moins d'accord sur une chose.

Deux appels téléphoniques plus tard, elle avait organisé un emploi du temps digne des attentes de Brett. Le chef de la sécurité du musée acceptait de la recevoir après le déjeuner. Et à sa grande surprise, l'assistante d'Anna Wakeling lui avait donné rendez-vous le matin suivant.

12

Cet après-midi-là, Laurie savoura à nouveau la vie new-yorkaise en franchissant l'entrée du Met. Elle se souvenait de la première fois où ses parents l'y avaient emmenée. Ils avaient attendu qu'elle soit en cours préparatoire, capable d'apprécier la beauté des lieux.

Sa mère l'avait tenue par la main, lui assurant qu'il ne lui arriverait rien si elle s'approchait d'une momie dans son sarcophage. Elle s'était émerveillée devant les armures et les chevaux naturalisés dans le département des armes et armures. En compagnie de son père, elle avait répété l'expérience avec Timmy au même âge, s'arrêtant devant le bassin du temple de Dendour pour y jeter une pièce et dire à la maman de Laurie qu'ils auraient aimé qu'elle fût là. Ce monument était l'un des plus beaux endroits du monde aux yeux de Laurie.

Elle demandait à l'un des vigiles de l'accueil où trouver Sean Duncan, le chef du service de sécurité, quand un homme aux cheveux bruns, vêtu d'un costume à fines rayures, s'approcha. « Je pense que c'est moi que vous cherchez. Et vous êtes sans doute Mme Moran. Quelle ponctualité !

— Appelez-moi Laurie. » Il la salua d'une poignée de main chaleureuse, tout en conservant une attitude réservée. Elle remarqua que le gardien en uniforme se redressait en présence de son chef. Duncan devait être un ex-militaire.

Empruntant le hall principal, il la conduisit vers la galerie médiévale. « Ma femme est fan de votre émission. Elle se passionne pour ce qui concerne les affaires criminelles. Suis-je autorisé à lui dire que nous nous sommes rencontrés, ou votre visite est-elle top secret ?

— Il n'y a rien de secret, mais nous n'avons pas encore pris de décision. Je n'en suis qu'au stade des recherches préliminaires.

— Je comprends. » Quand ils arrivèrent à un ascenseur, elle nota qu'un autre gardien se redressait également à leur approche. « J'ai pensé que nous pourrions commencer par visiter le lieu du crime. »

Laurie était allée sur la terrasse du Met lorsqu'elle était ouverte au public pour des expositions en été. Elle était fermée aujourd'hui. L'endroit était désert, offrant dans un silence total la vision d'un Central Park recouvert d'un manteau blanc et de gratte-ciel qui se découpaient sur l'horizon.

« Waouh, qui ne voudrait pas vivre ici ?

— C'est pourquoi mon bureau est juste à côté », dit-il, désignant une fenêtre un peu plus loin.

Il s'avança jusqu'à la limite ouest de la terrasse et indiqua un point dans la neige en contrebas. « On l'a trouvée exactement là. Le sol était couvert de neige, comme aujourd'hui. »

Au-delà d'une rambarde qui leur arrivait à la taille, la corniche en béton était épaisse, agrémentée d'une haie basse. Une chute accidentelle était impossible. Il fallait soit sauter volontairement soit être projeté dans le vide avec force.

« Vous étiez le chef de la sécurité à cette époque ?

— Adjoint. Je suis monté en grade l'année dernière.

— Félicitations. Connaissiez-vous Mme Wakeling personnellement ?

— Juste assez pour pouvoir la saluer quand elle venait. Quelqu'un de très aimable. Le directeur l'adorait.

— Il n'y a pas eu de vidéo de sa chute ? »

Il secoua la tête. « La maintenance annuelle de nos caméras de surveillance a toujours lieu le soir du gala. Nous les arrêtons pour vérification et remplacement pendant que les galeries, la terrasse, et d'autres endroits sont fermés au public.

— Comment se fait-il que Mme Wakeling se soit trouvée là si la terrasse était fermée ?

— Elle faisait partie du conseil d'administration. Les membres peuvent aller et venir à leur guise. »

La désapprobation de Duncan était manifeste. « Savez-vous à quelle heure elle est montée ici ?

— Un agent de sécurité est attaché à chacun de nos VIP durant le gala. Celui de Mme Wakeling se nomme Marco Nelson. Il dit l'avoir accompagnée à l'ascenseur un peu après neuf heures et demie, une fois le dîner terminé, avant que la musique ne commence. » L'horaire correspondait à celui qu'avait donné Ivan.

« Selon Marco, Mme Wakeling a dit qu'elle avait besoin de prendre l'air, mais qu'elle n'avait pas envie de sortir sur le perron. C'est la cohue les soirs de gala, avec tous les paparazzi et les curieux attirés par les célébrités. Elle a demandé à monter sur la terrasse, insistant pour y être seule.

— A-t-elle donné une raison ?

— Non, mais Marco a dit qu'elle avait les lèvres serrées et qu'elle ne cessait de regarder derrière elle en direction de la réception, comme si elle était inquiète. Il a eu la nette impression qu'elle était fâchée pour une raison ou une autre.

— Il est monté avec elle ? »

Il secoua la tête de nouveau. « Selon ses dires, la dernière fois qu'il l'a vue, c'est au moment où elle est montée dans l'ascenseur, seule. Environ dix minutes plus tard, un homme qui courait dans le parc a découvert son corps. Figurez-vous qu'il y a eu des invités pour se plaindre que nous ayons interrompu le concert ce soir-là ! »

Laurie ne s'en étonnait pas. En tant que journaliste, elle avait vu le meilleur et le pire de l'espèce humaine.

« Marco travaille-t-il aujourd'hui ? J'aimerais pouvoir lui parler.

— Il nous a quittés il y a environ deux ans pour une entreprise de sécurité privée. Il est probablement payé le triple de ce que je gagne ici, mais encore une fois, il n'a pas la chance de passer la plus grande partie de ses journées à l'intérieur du Met.

— C'est un des endroits que je préfère au monde, fit Laurie.

76

— Ma femme me dit que le plus beau cadeau que je lui aie jamais fait a été celui de notre troisième rendez-vous ; je lui ai fait visiter tout le musée après l'heure de fermeture. Elle m'a dit qu'elle avait eu l'impression d'être Claudia Kincaid dans *Fugue au Metropolitan* de Konigsburg. »

Le livre, un des favoris de Laurie quand elle était enfant, raconte l'histoire d'un frère et de sa sœur qui s'enfuient de chez eux et vivent en secret dans le musée. Laurie comprit que cet homme était vraiment attaché à ce lieu.

« Vous avez dit que Marco soupçonnait que Mme Wakeling avait peut-être eu une dispute. Quelqu'un l'a-t-il vue se quereller avec une autre personne ce soir-là ?

— Pas à ma connaissance.

— A-t-on remarqué autre chose d'inhabituel ce même soir ?

— Nous faisons le maximum d'efforts pour ne pas être pris au dépourvu, mais il s'est produit un incident. Peu de temps avant que le corps ne soit découvert dans le parc, une alarme a été actionnée dans une des galeries. Précisément dans la galerie où étaient exposés les costumes, qui venait d'être fermée aux invités. Les agents qui s'y sont rendus n'ont rien constaté d'anormal. Mais l'hypothèse de la police est que l'assassin a pu déclencher l'alarme afin de détourner notre attention. Pendant que nous étions distraits par cette fausse alerte, quelqu'un se serait glissé dans un escalier et aurait suivi Mme Wakeling sur la terrasse.

— Quelle a été la réaction des invités quand ils ont entendu l'alarme ?

— Ils n'en ont rien su, expliqua Sean. C'était une alarme silencieuse, déclenchée par un détecteur de mouvement. Les seuls à être avertis étaient les agents du poste de sécurité.

— Avez-vous pu vérifier où se trouvaient la famille et les amis de Mme Wakeling au moment où elle est montée sur la terrasse ?

— Quand vous dites amis, je suppose que vous pensez en particulier à Ivan Gray ? »

Laurie sourit. « Je pense à quiconque pouvant être concerné. L'équipe de *Suspicion* a l'esprit large.

— Je ne suis pas certain de pouvoir en dire autant des autres. La famille montrait du doigt l'entraîneur de Mme Wakeling avant même l'arrivée de la police. L'agitation était considérable. Mais si vous me questionnez sur la solidité des alibis de chacun, je ne suis pas qualifié pour répondre. Notre priorité était de maintenir le calme et de contrôler les entrées et sorties. C'est la police qui s'est chargée de l'enquête proprement dite. Le nom de l'inspecteur en charge était Johnny Hon, si cela peut vous être utile.

— Certainement, merci. Je vais l'appeler. Nous aimerions aussi parler aux enfants, au gendre et à l'assistante, puisqu'ils étaient tous présents.

— N'oubliez pas le neveu.

— Quel neveu ?

— Oh, comment s'appelle-t-il déjà ? John ? Non, Tom, c'est ça. Tom Wakeling. Et il a pris soin d'utiliser son nom de famille pour soutirer deux billets d'entrée au bal, un pour lui et un pour une dénommée Tiffany. C'est courant. Les gens se présentent en prétendant être de la famille Kennedy ou Vanderbilt. En fait ce sont des cousins éloignés. Quoi qu'il en soit, j'ai eu l'impression que le garçon était un peu le mouton noir. Mme Wakeling avait accepté qu'il soit sur la liste, en prenant soin de préciser qu'il n'y avait plus de place à sa table parce que le directeur du musée et sa femme la partageaient avec elle. Visiblement elle cherchait à garder le neveu à distance.

— Il a été soupçonné ?

— Je ne crois pas mais, comme je l'ai dit, je ne sais pas grand-chose. Je l'ai mentionné uniquement parce que vous dressiez la liste des membres de la famille. »

C'était la première fois que Laurie entendait parler du neveu de Virginia. Elle présuma qu'Ivan n'était pas au courant de sa présence, ou qu'il ne le tenait pas pour suspect.

Comme toujours, le nombre de gens à interviewer augmentait au lieu de diminuer. Elle nota deux noms supplémentaires dans son carnet. L'inspecteur Johnny Hon et Tom Wakeling.

13

La Brasserie Ruhlmann n'avait jamais été aussi tranquille quand elle y pénétra à cinq heures et demie précises. Tirant son nom du designer Art déco Émile-Jacques Ruhlmann, le restaurant avait des airs de brasserie parisienne chic, avec son haut plafond, ses sièges de velours rouge et ses nappes blanches impeccablement repassées. Sa situation à deux pas des studios Fisher Blake en faisait l'un des endroits favoris de Laurie.

En tendant son manteau à la réceptionniste, elle aperçut Charlotte qui lui faisait signe depuis une table d'angle au fond de la salle près du bar. Elles s'embrassèrent rapidement sur les deux joues et Laurie prit un siège en face d'elle.

Charlotte avait déjà commandé un martini.

« Tu es arrivée tôt, fit remarquer Laurie.

— Ladyform est quasiment fermé à cause de la neige. Hier soir, j'ai envoyé un e-mail à tout le personnel en leur laissant le choix de venir travailler ou non. Bien entendu, il est tombé dix centimètres au lieu de trente, et la moitié du staff est restée à la maison. » Charlotte, l'amie de Laurie, dirigeait le bureau de New York de l'affaire familiale. Sous son impulsion, Ladyform était passé du stade de « fabricant de lingerie pour dames » à celui de marque renommée de vêtements de sport haut de gamme.

Laurie avait fait la connaissance de Charlotte quand elle avait choisi d'enquêter sur la disparition de sa jeune sœur dans une série de *Suspicion*. À la fin du tournage, Charlotte avait invité Laurie à déjeuner, et elles étaient vite devenues amies.

Laurie préféra un verre de vin blanc au martini de Charlotte puis écouta son amie se plaindre d'un fournisseur de tissu qui avait ajouté cinq pour cent de lycra à un de ses produits sans l'en avertir. « J'ai dix mille rouleaux de ce matériau. J'ai fait confectionner un prototype. Le pantalon ressemblait à celui d'Olivia Newton John dans la scène finale de *Grease*. »

Laurie se rappela les célèbres leggings d'un noir éclatant de l'actrice. « Tu pourrais lancer une nouvelle mode !

— C'est sûr, si par miracle le disco revient lui aussi à la mode. » Elle fit un geste de la main, comme pour dissiper le stress. « Je vais leur demander de reprendre leur marchandise. C'est juste lassant. Oh, à propos, j'allais oublier ça. »

Elle fouilla dans son sac, en sortit un gros catalogue et le tendit à Laurie. *La Mode et les premières dames* s'étalait en gros caractères brillants sur la couverture.

« J'avais oublié que je l'avais avant notre coup de téléphone. »

Quand Charlotte avait appelé Laurie pour l'inviter à prendre un verre impromptu, Laurie était en train de quitter le musée et lui avait confié qu'elle s'intéressait à l'affaire Wakeling. Elle avait été surprise d'apprendre que Charlotte était présente au gala ce soir-là. Apparemment, Ladyform retenait une table tous les ans pour soutenir le Costume Institute du musée et par la même occasion donner à Ladyform une dimension culturelle supplémentaire.

Laurie feuilleta les pages du livre somptueux qui avait été publié à l'occasion de l'inauguration de l'exposition au cours de laquelle Virginia Wakeling était morte. « Il a été imprimé avant la soirée, expliqua Charlotte, et il ne fait donc aucune mention de l'accident. Mais j'ai pensé qu'il pourrait t'être utile. »

Sean Duncan avait dit à Laurie qu'ils pourraient filmer les salles du Met, mais reconstituer l'exposition était hors de question, évidemment. Cependant Jerry était capable d'accomplir des miracles à partir de photographies. Laurie se dit qu'il leur serait possible d'obtenir des tirages en haute définition des images qu'elle voudrait utiliser. Ce livre était une véritable mine.

« C'est formidable, Charlotte. Merci.

— J'aimerais en savoir davantage sur ce qui s'est passé réellement. » Charlotte avait déjà expliqué qu'elle se trouvait aux toilettes quand elle avait entendu d'autres invités parler d'une femme qui avait fait une chute. Sa table était loin de celles qu'on réservait aux célébrités comme Virginia Wakeling. En bref, elle n'avait aucune information de première main relative à l'enquête. « Sinon, j'aurais été la première personne à participer plus d'une fois à ton émission, en dehors d'Alex bien sûr. À propos d'Alex, je l'ai rencontré il y a deux jours à une soirée donnée au bénéfice de la Bronx Academy of Letters. »

Charlotte avait invité Laurie à la table de Ladyform à cette collecte de fonds organisée au bénéfice d'une école publique d'une des circonscriptions les plus pauvres du pays. Malheureusement, elle devait accompagner Timmy à un concert de jazz au Lincoln Center le même soir. Une fois de plus, Laurie aurait aimé se dédoubler.

« Comment va-t-il ? demanda-t-elle, cherchant à dissimuler sa curiosité.

— Il semblait en forme. » Charlotte lui cachait quelque chose, c'était criant.

« Il t'a parlé de moi ? Oh, oublie ça. Quelle gamine je fais !

— Nous n'en avons pas eu l'occasion. On s'est seulement salués, et il m'a présentée en disant que nous nous étions rencontrés sur le tournage de *Suspicion*. » Elle fit une grimace, comme si elle se rendait compte qu'elle aurait dû se taire.

« Il t'a présentée… à qui ?

— Kerry Lyndon. »

Laurie reconnut le nom. C'était la présentatrice du bulletin d'information de la chaîne locale affiliée à CBS. Longs cheveux blonds, grands yeux bleus, toujours impeccablement habillée devant la caméra. Elle se représenta Kerry Lyndon à côté d'Alex, tous deux parfaitement assortis.

« Ils n'étaient pas vraiment ensemble. J'ai lu dans le programme qu'ils faisaient tous les deux partie du comité des enchères. Je pense qu'ils étaient seulement là pour accueillir les invités. »

Ou alors, Kerry était l'invitée d'Alex pour la soirée. Avant de sortir avec Laurie, Alex était un habitué des chroniques mondaines de la presse, toujours accompagné d'une femme brillante connue pour sa réussite.

« Tu as appris la nouvelle ? fit Laurie qui en avait assez entendu. Il vient d'être nommé juge à la cour fédérale.

— Waouh ! L'honorable Alex Buckley. Ça sonne bien. Il doit être aux anges, non ? »

Laurie secoua la tête. « Je n'en ai pas la moindre idée. Je l'ai lu dans une alerte du *New York Times* ce matin. »

Charlotte se pencha et posa la main sur celle de Laurie. « Chérie, je suis désolée. Je pensais qu'il t'avait mise au courant de sa nomination en personne. Je sais que vous avez pris vos distances, tous les deux, mais j'imaginais que pour une nouvelle de cette importance... » Elle ne finit pas sa phrase. Thanksgiving, Noël, le nouvel an avaient passé sans qu'ils échangent un mot hormis l'envoi de cartes de vœux et d'un jeu vidéo comme cadeau de Noël pour Timmy. Pourquoi aurait-il donné signe de vie même pour lui dire qu'il venait enfin d'obtenir le poste de ses rêves ?

Ce qu'elle lisait dans le regard de Charlotte ressemblait fort à de la pitié. « J'aurais mieux fait de m'abstenir de te raconter ma rencontre avec lui. »

Laurie se força à sourire. « Je t'assure, Charlotte, tu n'as pas besoin de t'excuser. Alex est libre de fréquenter d'autres femmes. Nous ne sommes pas ensemble. »

Charlotte resta silencieuse, consciente que Laurie tentait de faire bonne figure, puis elle changea de sujet et raconta la séquence dédiée à la mode qu'elle préparait pour un prochain *Today Show*.

Laurie avait surmonté son trouble, mais elle avait la mort dans l'âme.

14

Le lendemain à son arrivée au bureau, elle s'étonna d'y trouver Grace, bien qu'il ne fût pas neuf heures. Le maquillage de sa jeune assistante était impeccable, comme toujours, et ses longs cheveux noirs étaient serrés en chignon sur la nuque. Elle avait troqué ses habituelles robes moulantes contre un chemisier d'un vert éclatant et un pantalon large noir.

« On dirait que tu te rends à un entretien d'embauche. Ne me dis pas que tu me quittes ? » demanda Laurie. Se passer de Grace ? C'était inimaginable.

« Je change de look. Ma sœur m'a dit que les gens me prendraient davantage au sérieux si j'en faisais moins. On verra. »

Laurie ressentit une pointe de culpabilité. Il ne lui était jamais venu à l'esprit que Grace, une des personnes les plus sûres d'elles-mêmes qu'elle connût, pût se soucier de l'impression qu'elle faisait sur les autres.

Ne lui laissant pas le temps de répondre, Jerry arriva pour la réunion qu'ils avaient prévue afin de mettre au point l'édition suivante de la série. « On est prêts ? demanda-t-il.

— Allons-y », dit Laurie.

Jerry commença par éliminer les tâches accomplies de leur liste. Il était en contact avec le service juridique du musée pour le tournage sur le site. « Ils se prennent pour le Vatican avec toutes leurs contraintes, mais on y arrivera. Je suis plus inquiet s'agissant de la participation de la famille Wakeling. Qu'est-ce qu'elle peut y gagner ?

— Oui, moi aussi, renchérit Laurie. L'histoire date de seulement quelques années, et il est évident qu'Ivan est toujours le suspect numéro un. S'ils se rendent compte qu'Ivan connaît personnellement Ryan, il n'y a aucune chance qu'ils nous fassent jamais confiance. » Ce qui rappela à Laurie à quel point elle aurait souhaité qu'Alex ne soit pas parti. « Mais Brett a décrété que ce serait notre prochain sujet, à condition de nous assurer de la participation d'au moins un membre de la famille. Je ne supporterais pas l'idée de lui dire que j'ai échoué.

— On n'a plus qu'à se débrouiller pour que ça n'arrive pas », conclut Jerry d'un ton assuré. Son téléphone vibra sur la table basse. « Pile poil à l'heure. La voiture est là. »

Ils avaient rendez-vous avec la fille de Ginny, Anna Wakeling, dans vingt minutes. Laurie vit un voile de déception assombrir le visage de Grace tandis qu'elle regagnait son bureau. Elle se rappela ce que Ryan avait dit de Penny, l'assistante de Ginny. Elle était loyale, mais ne se sentait pas appréciée à sa juste valeur.

Elle se rendit compte que Jerry était monté en grade, passant de la situation de stagiaire chargé d'apporter le café à celle de membre apprécié de l'équipe de production. Pendant ce temps, Grace avait stagné.

« Peux-tu nous accompagner, Grace ? demanda-t-elle. Tu as toujours eu un don d'observation particulier. »

Le sourire de Grace était contagieux. « Avec plaisir. »

15

Les bureaux de Wakeling Development occupaient deux étages d'un entrepôt réhabilité de Long Island City donnant sur l'East River. En attendant dans le hall de réception, Laurie s'aperçut qu'on voyait l'appartement d'Alex de l'autre côté du fleuve. Elle se demanda s'il était à son bureau, au tribunal ou en réunion, ou peut-être chez lui. Elle se souvint de l'époque où ils se téléphonaient tous les soirs à propos de tout et de rien s'ils ne s'étaient pas vus de la journée.

L'apparition d'une jeune femme émergeant des doubles portes la tira de ses pensées. « Vous êtes attendus dans la salle de conférences. » Elle ne se présenta pas, ne leur tendit pas la main, se contenta de les précéder dans un long couloir.

« Vous n'êtes pas Penny Rawling, par hasard ? » Laurie ignorait où l'assistante personnelle de Virginia avait atterri après sa mort. Jerry, qui était chargé des recherches sur les réseaux sociaux, avait déniché sur Facebook le profil d'une Penny Rawling à Astoria, mais les paramètres de sécurité de sa page étaient stricts. Ni photos, ni posts, ni informations générales visibles, à moins d'être un de ses amis Facebook.

La femme parut ne pas comprendre la question et répondit que non, elle s'appelait Kate. Elle les introduisit dans une salle de réunion cossue, table de marbre et sièges de cuir blanc. Trois personnes occupaient un côté de la table, la seule femme se trouvait assise au centre.

Laurie la reconnut d'après les photos des articles parus dans les journaux. C'était la fille de Virginia Wakeling, Anna. Elle avait des cheveux blonds retombant sur ses épaules et portait une robe fourreau bleu marine parfaitement coupée ainsi que des chaussures couleur chair à talons de dix centimètres de haut. À sa droite, son mari, Peter Browning, que les médias décrivaient comme un avocat brillant et discret, devenu rapidement un membre de confiance de la famille après avoir épousé leur fille bien-aimée. De l'autre côté, le frère aîné, Carter. Il avait aujourd'hui quarante et un ans d'après les calculs de Laurie, mais avait gardé une apparence juvénile. Avec ses cheveux blonds ébouriffés et un reste de bronzage bien qu'on fût en janvier, il avait une réputation de célibataire très occupé.

« Je suis Anna Wakeling », dit la jeune femme. Elle avait conservé son nom de jeune fille, et elle prit à peine le soin de leur présenter les hommes attablés avec elle. « Je vous remercie d'être venus jusqu'à Long Island City pour nous rencontrer. On ne fait pas passer un pont ou un tunnel à un habitant de Manhattan impunément. »

Laurie ne manqua pas d'admirer la vue depuis les fenêtres d'angle. « Je me souviens de l'époque où cet endroit était essentiellement industriel. Je comprends pourquoi votre père était si fier d'y avoir laissé son empreinte.

— Et c'est exactement pour cette raison que la société y est toujours implantée. Papa n'aurait jamais voulu que nous partions ailleurs. »

Laurie savait pour en avoir parlé au téléphone avec elle qu'Anna connaissait son émission. Elle lui avait aussi expliqué que dans le cadre de *Suspicion* ils souhaitaient reprendre l'enquête sur les circonstances de la mort de sa mère.

Sans plus attendre, Laurie orienta la conversation vers celui que la famille tenait pour suspect principal.

Anna réagit immédiatement : « Cet homme a assassiné notre mère. Point final.

— Pourtant, la police n'a arrêté personne, dit Laurie. N'était-il pas plus avantageux pour lui d'épouser votre mère que d'attenter à sa vie ? »

Anna eut un geste d'impatience. « Ah non, elle avait dit qu'ils se marieraient le moment venu, mais ma mère ne l'aurait jamais épousé. Elle traversait une phase, il n'était qu'une distraction. » Laurie ne put s'empêcher de remarquer que Carter et Peter laissaient Anna répondre à leur place. « Je suis navrée de le dire, mais nous étions gênés pour elle, gênés de la voir s'afficher au bras de ce gigolo. Elle avait l'âge d'être sa mère.

— Nous avions cru comprendre que leurs fiançailles étaient imminentes. Il y avait même une bague.

— Que ma mère avait payée, j'en suis sûre, dit Anna. Et qu'elle ne portait pas, du moins en public. Je pense qu'elle aimait être vue en sa compagnie, mais c'était une passade, et Ivan le savait. C'est pourquoi il lui a volé cet argent pour lancer ce grotesque club de sport. Quand je pense à ce qu'aurait été la réaction de mon père. Je lui ai même dit : "C'est papa qui a travaillé pour bâtir ce capital. Il serait atterré s'il voyait la façon dont tu le dépenses." Elle secoua la tête à l'évocation de ce souvenir. « C'était à la veille de sa mort. »

Son mari, Peter, lui effleura la main pour la réconforter.

« Monsieur Browning, commença Laurie.

— Appelez-moi Peter.

— Bien sûr, et moi je suis Laurie. J'ai cru comprendre que votre belle-mère avait toute confiance en vous s'agissant de ses affaires financières. Vous a-t-elle fait part de ses projets concernant Ivan ?

— Eh bien, en tant que membre de la famille, je peux vous assurer qu'elle ne nous a jamais confié qu'elle l'entretenait d'une manière ou d'une autre. Elle disait qu'Ivan disposait de ses propres revenus tirés de son travail, qu'elle l'aidait seulement de manière "très modeste", et qu'elle ne laisserait jamais un autre homme s'emparer de la fortune qu'avait gagnée le père d'Anna et de Carter. Par conséquent, ce fut pour nous un véritable coup d'apprendre que tout cet argent avait été investi dans son club. »

Laurie remarqua que Carter, le frère d'Anna, opinait de la tête, mais ne semblait pas très intéressé par la conversation.

« Peter, vous avez souligné que vous parliez en tant que membre de la famille. N'êtes-vous pas également l'exécuteur testamentaire de Virginia Wakeling ? Elle vous a sûrement exposé ses intentions dans le cas

92

où elle se remarierait. Allait-elle modifier son testament ? »

Peter changea de ton. « C'est à l'avocat que cette question s'adresse et je me vois contraint de vous répondre que cela relève du secret professionnel, qui continue à s'appliquer même après la mort de Virginia. »

Laura se tourna alors vers les deux autres. « Mais vous, Anna et Carter, vous n'êtes pas concernés par une clause de confidentialité. »

Ils haussèrent tous deux les épaules.

« Croyez-moi, madame Moran, dit Anna, Ivan a escroqué ma mère de plusieurs centaines de milliers de dollars puis il l'a tuée quand il a compris qu'elle allait le dénoncer. L'agent de sécurité qui l'a fait monter sur la terrasse a dit qu'elle semblait bouleversée. Elle s'était visiblement disputée avec quelqu'un. Un de ces jours, Ivan commettra un impair et se trahira. Alors la police ne fera ni une ni deux et l'arrêtera.

— Avez-vous vu votre mère se disputer avec Ivan, ou avec qui que ce soit, au cours de la soirée ? »

Une fois encore les deux hommes cherchèrent l'approbation d'Anna. Laurie aurait voulu pouvoir les interroger séparément, mais au contraire de la police, elle ne contrôlait pas les conditions dans lesquelles elle rencontrait les témoins.

Anna secoua la tête. « Nous sommes trop honnêtes pour fabriquer de fausses preuves, mais pour moi il n'y a aucun doute que c'était avec Ivan. Chaque fois que je vois une publicité pour sa stupide salle de boxe, j'ai envie de flanquer des coups de poing.

— Et Penny Rawling ? demanda Laurie. Elle était l'assistante personnelle de votre mère, elle a dû les voir assez régulièrement. »

Un silence gêné enveloppa la table et, pour une fois, ce fut Carter qui répondit.

« Nous avons créé un poste de comptable pour elle après la mort de ma mère, mais cela n'a pas marché. J'ai appris qu'elle s'était inscrite à la business school du Hunter College, mais elle n'est pas restée en contact avec nous.

— Et votre cousin Tom ? reprit Laurie. On nous a dit qu'il était également présent au gala et était un peu le mouton noir de la famille. »

Carter éclata d'un rire moqueur. « Un peu ? C'est un euphémisme ! Pendant un temps, j'ai eu l'impression d'être un intellectuel en comparaison.

— C'est du passé maintenant, dit Anna brusquement. Tom a considérablement mûri. Il travaille avec nous dans la société à présent, et s'occupe des baux des bureaux. »

En dépit du ton sérieux de sa sœur, Carter continua de ricaner. « Tu te souviens de l'irritation de maman quand Tom a utilisé le nom de Wakeling pour obtenir des billets pour le gala ? Elle a dit : "Dieu merci, j'ai pu lui dire sans mentir que notre table était au complet." »

Même Peter et Anna sourirent en entendant Carter imiter la diction de leur mère.

« Et Tiffany, sa compagne ? »

Carter s'esclaffa. « Ils n'étaient pas plus présentables l'un que l'autre. Tout le monde pouvait entendre Tiffany parler à tue-tête de sa grand-mère loufoque, l'ancienne danseuse de cabaret. Elle jurait que plusieurs présidents des États-Unis étaient tombés amoureux d'elle. Mais John Kennedy était son favori. Au moins avait-elle du goût dans ce domaine. »

Le rire augmenta puis cessa quand Anna revint aux questions sérieuses, sur un ton plus détendu cette fois. « Quoi qu'il en soit, le cousin Tom a changé. C'est un membre de la famille et un collaborateur de confiance. » Elle fixait Carter en prononçant ces mots.

Elle envoie un avertissement à son frère, pensa Laurie. Le cousin Tom est un collaborateur de confiance. Mais alors pourquoi n'a-t-il pas été invité à cette réunion ?

Soudain Anna se leva après avoir regardé l'écran de son téléphone portable qu'elle tenait à la main. « Je vous remercie d'être venue, Laurie, mais une autre réunion nous attend, j'en ai bien peur. »

Laurie fut surprise. « J'espérais pouvoir vous parler de votre participation à notre émission, *Suspicion*.

— Je comprends, mais nous préférons que la police ait terminé son enquête avant qu'une émission de télévision commence à mettre son nez dans nos affaires. »

Laurie était venue en pensant qu'il lui suffirait de la participation d'un seul membre de la famille pour pouvoir mettre la production en route, mais il était clair que c'était Anna qui tirait les ficelles pour eux tous, et qu'elle avait pris sa décision avant même le début de la réunion.

« Que vous participiez ou non à l'émission nous continuerons, comme vous le dites, à mettre notre nez dans vos affaires. » Elle n'était pas ravie à l'idée de devoir avancer sans leur concours, mais Brett ne lui laisserait pas le choix.

Prenant Laurie complètement au dépourvu, Grace tendit soudain à Peter un dossier sorti de son sac géant avant qu'il puisse l'arrêter. « Nous vous laissons un peu de paperasserie afin que vous puissiez vous documenter. Si vous voulez faire éclater la vérité, vous devez savoir qu'Ivan Gray a des opinions bien arrêtées sur votre famille, et je préfère vous le dire : vous m'êtes beaucoup plus sympathiques que je ne l'avais imaginé en entendant le portrait qu'il a fait de vous. »

Jerry semblait prêt à catapulter Grace hors de la pièce, mais elle n'avait pas terminé.

« Je ne suis qu'une modeste assistante, mais à votre place, je n'aimerais pas que quelqu'un déblatère sur moi sur une chaîne nationale sans être là pour présenter ma version des faits. »

Quand la dénommée Kate arriva pour les reconduire à l'entrée, le visage d'Anna Wakeling était blanc comme un linge.

16

À peine dans l'ascenseur, ils débriefèrent.

Jerry prit la parole. « Grace, tu as réussi à ébranler Anna. J'ai cru qu'elle allait tomber dans les pommes. Elle est devenue pâle comme une morte. »

Grace s'éventait le visage à deux mains comme s'il allait prendre feu. « Je suis désolée. J'ai agi sur un coup de tête. J'avais l'impression que nous étions sur le point de perdre la partie. »

Laurie plaça une main rassurante sur son bras. « Tu as bien fait de leur dire leurs quatre vérités. Il est de leur intérêt de présenter leur version des faits.

— Au fond, sans vouloir te vexer, Laurie, reprit Jerry, cela aurait été arrogant venant du boss. Grace, j'ai adoré quand tu as dit : "Je ne suis qu'une modeste assistante." » Il appuya un doigt sur sa joue, faisant apparaître une fossette. « Et puis, paf ! Tu as frappé un grand coup. "À votre place, je n'aimerais pas que quelqu'un déblatère sur vous sur une chaîne nationale." Tu les as complètement démontés. »

L'ascenseur s'arrêta et ils sortirent dans le hall.

« Croisons les doigts », dit Grace. Son joli visage en forme de cœur rayonnait de fierté.

Dans le hall deux hommes interrompirent leur conversation pour dévisager Grace. L'un d'eux, qui tenait un sac de chez Chipotle, se précipita vers l'ascenseur avant que les portes se referment.

Son compagnon fit un geste de la main. « À tout à l'heure, Tom. »

Laurie maintint la porte ouverte pour le prénommé Tom. « Vous n'êtes pas Tom Wakeling, par hasard ?

— Ouais », fit-il en plissant les yeux, tentant de savoir s'il devait la reconnaître.

Avec ses cheveux bruns ondulés et sa barbe de plusieurs jours, il ne ressemblait en rien à ses cousins blonds, mais possédait les hautes pommettes d'Anna et le long nez de Carter.

Sans cesser de fixer Tom, Laurie dit doucement à Grace : « S'il te reste un formulaire de participation, passe-le-moi. »

Grace sortit rapidement les papiers de son fourre-tout et les glissa dans la main de Laurie.

L'ascenseur se mit à sonner, et Laurie sauta instinctivement dans la cabine.

« Je vous retrouve devant l'immeuble, lança-t-elle à Jerry et Grace, les laissant dans le hall. Tom, je suis Laurie Moran. »

17

Laurie constata avec soulagement que le reste de la famille Wakeling assistait à la réunion prévue – ou même inventée – pour abréger leur discussion avec elle. Ils avaient quitté les lieux.

Elle suivit Tom dans un petit bureau encombré de dossiers et de carnets. Il disposait d'une baie vitrée, mais à en juger par la salle de conférences, les autres membres de la famille jouissaient certainement d'espaces de travail beaucoup plus luxueux.

Il lui fallut peu de temps pour expliquer la raison de sa présence. Maintenant que *Suspicion* était devenu une émission-vedette, elle n'avait même pas besoin d'expliquer la nature de son travail. Elle prit quelques libertés avec la vérité en déclarant qu'elle venait d'avoir une réunion avec ses cousins Carter et Anna « pour mettre au point les détails de leur participation à la prochaine émission ».

« Je présume que vous serez disposé à vous joindre à nous, vous aussi ? »

Il haussa les épaules. « Ouais, aucun problème. »

Essayant d'avoir l'air décontractée, elle lui tendit une copie de leur accord de participation standard.

Tandis qu'il parcourait le contenu du document, elle lui demanda depuis combien de temps il était dans la société.

« Ça fera deux ans à Halloween », dit-il, apposant rapidement sa signature et lui rendant le document paraphé.

Moins d'un an après la mort de Virginia Wakeling.

Laurie avait lu dans la notice nécrologique de Robert Wakeling du *New York Times* qu'il avait créé son entreprise avec son frère Kenneth. Mais alors que les parkings de Long Island City étaient remplacés par des appartements de luxe pour la plupart aménagés en lofts, il en avait pris le contrôle. Elle questionna Tom sur l'histoire familiale.

« On doit tout à papa et à l'oncle Robert, mais s'il y a une leçon à tirer de ce chapitre de la saga Wakeling, c'est qu'il faut s'en tenir à "la famille d'abord". Ils ont laissé les affaires se mettre entre eux. » Il raconta, attristé, comment les deux frères avaient dans leur jeunesse le même rêve de transformer un petit terrain aux portes de Manhattan en un quartier moderne et prospère. Mais quand, après cinq ans d'efforts, leur rêve ne s'était pas matérialisé, le père de Tom, Ken, avait perdu patience. Le fort de Robert Wakeling était la construction. Ken était l'architecte de la famille. « Mon père était avant tout un artiste, tandis que Bob était un homme d'affaires-né. Mon père avait besoin de travailler à d'autres projets. Aussi l'oncle Bob a-t-il racheté les parts de mon père, lui remboursant en fait le prix d'achat des terrains. Papa s'est réjoui de retrouver son investissement initial, et de pouvoir se consacrer à des projets d'architecte moins risqués, tandis que son frère continuait à poursuivre leur rêve initial. Pendant un temps, tout a bien marché. Puis tous les éléments du projet de Long Island City se sont mis en place comme les pièces d'un puzzle. »

C'était un projet qui allait rapporter à Robert Wakeling une fortune de deux cents millions de dollars. « Votre oncle n'a pas trouvé un moyen d'en faire profiter votre père ? demanda Laurie.

— Il n'a pas partagé. Il a déclaré que mon père avait pris sa décision. Il était parti, pas lui. Comme je l'ai déjà dit, c'était avant tout un homme d'affaires.

— Difficile à accepter pour votre père, j'imagine. »

Il secoua la tête. « J'étais en terminale au lycée quand il a vendu notre appartement dans l'Upper East Side et que nous nous sommes installés dans le West Side parce qu'il ne supportait pas la vue de Long Island City de l'autre côté de la rivière.

— Et pourtant vous travaillez désormais pour le groupe Wakeling.

— Mon père est mort un an avant l'oncle Bob, comme lui d'une crise cardiaque. Je suis convaincu qu'ils seraient tous les deux en vie s'ils s'étaient réconciliés. Personnellement, j'ai toujours considéré le point de vue de chacun dans leur querelle. Mon père pensait que l'oncle Bob l'avait dépossédé d'une fortune qui lui revenait, tandis que Bob jugeait que mon père s'était désintéressé de leur rêve et ne méritait pas d'être récompensé pour un succès qui n'appartenait qu'à lui.

— Mais vous n'étiez pas un témoin neutre, dit Laurie. Un de ces hommes était votre père. En outre vous avez vu votre oncle, votre tante et vos cousins devenir extrêmement riches. Carter et Anna sont entrés directement dans l'affaire familiale à la sortie de l'université. Vous les avez rejoints il y a seulement deux ans.

— Honnêtement, je ne leur en ai pas voulu une seule seconde. À ce moment-là je travaillais comme barman dans des night-clubs, et ma vie était une fête ininterrompue. Je m'amusais bien.

— Les choses sont différentes maintenant ?

— Certainement, dit-il en désignant les piles de documents à différents endroits de son bureau. Si je devais préciser le moment où tout s'est cristallisé pour moi, je dirais que c'est la nuit du gala du Metropolitan.

— À cause de la mort de votre tante ?

— Non, bien que ce fût une histoire tragique, je ne vous apprends rien. J'étais au musée, entouré de la jet-set. Ma tante et mes cousins étaient traités comme des princes. De mon côté, je savais que je ne devais ma présence qu'à mon seul nom. Ils faisaient ami-ami avec les célébrités et les membres du conseil d'administration, et je m'étais faufilé dans la galerie des portraits comme un sale gosse qui fait les quatre cents coups avec sa copine. Nous n'étions pas du tout dans notre élément.

— Vos cousins ont en effet mentionné que vous étiez accompagné ce soir-là d'une invitée qui ne passait pas inaperçue.

— Oui, Tiffany Simon, dit-il en souriant. Absolument superbe, et très amusante, mais complètement dingo. C'était notre deuxième rendez-vous, si je me souviens bien. Je l'ai revue quelques fois par la suite, mais j'ai fini par comprendre que ce qu'elle aimait, c'étaient les drames. Elle se mettait en scène à chaque moment de son existence. Un exemple : elle se présentait à un inconnu comme une princesse d'une île imaginaire, uniquement pour s'amuser. C'était épuisant. Quoi qu'il en soit, en me retrouvant ce soir-là au gala du Met avec elle qui buvait trop et racontait des histoires abracadabrantesques sur les amants de sa grand-mère, j'ai eu honte de moi vis-à-vis de ma famille. J'ai décidé à ce moment-là d'aller parler à ma tante et à mes cousins et de leur demander conseil pour repartir d'un bon pied.

— Et c'est là que votre tante a trouvé la mort.

— C'était surréaliste. Et ça m'a remis les pieds sur terre. J'ai compris que la vie était courte. Soudain, nous étions la nouvelle génération des Wakeling. J'ai attendu plusieurs mois avant d'aller trouver Anna et Carter et de leur demander de travailler avec eux. Ils m'ont accueilli à bras ouverts.

— Puis-je vous demander ce qu'est devenue votre mère dans tout ça ?

— Elle vit en Floride. Après la mort de mon père, il lui était devenu difficile de faire face au coût de la vie à New York. Elle a vendu l'appartement et en a acheté un autre en copropriété à Naples. Elle vient me voir au moins deux fois par an. Je crois qu'elle est heureuse de constater que mes cousins et moi sommes parvenus à ressouder la famille, même s'il est trop tard pour que mon père et Bob en soient témoins. »

Quel happy ending, pensait Laurie. Il y avait quelque chose dans ce récit qui sonnait faux. Tom avait quand même dû en vouloir à ses cousins d'avoir gardé pour eux les profits considérables de Wakeling Development, même après le décès de leur père. Pas plus que lui, Carter et Anna n'avaient contribué au développement de la société, et pourtant ils étaient traités comme des princes selon son expression, tandis qu'il demeurait un laissé-pour-compte. En effet, il avait fort bien pu décider, lors du gala, de changer de vie. Il avait même pu ne pas attendre la clôture de la cérémonie. Laurie se représenta Tom prenant sa tante à part pour lui demander conseil. Virginia se serait montrée distante, accaparée par la réception et ses conversations avec les autres donateurs du musée. Elle lui aurait dit que ce n'était ni le moment ni l'endroit. Peut-être l'avait-elle carrément éconduit.

Il lui semblait entendre Virginia parler du fond de sa tombe, comme si elle se trouvait dans la pièce. *Tu es sans doute encore moins investi que ton père, sans avoir son talent. Tu arrives trop tard.* Tom aurait alors continué à défendre son cas. Il lui avait peut-être dit quelque chose de pire. *Tu n'as jamais travaillé de ta vie, tante Virginia, et maintenant tu dilapides ta fortune avec quelqu'un qui ne s'intéresse qu'à ton fric.*

Bouleversée, Virginia se serait approchée de son agent de sécurité, Marco, et aurait demandé à monter sur la terrasse pour respirer un peu d'air.

Laurie imaginait Tom regardant sa tante monter dans l'ascenseur. Il faisait en sorte de déclencher l'alarme puis grimpait l'escalier en douce, à l'insu des gardiens.

Elle se reprit. Elle avait été prête à accuser Ivan avant même de le connaître. Elle n'allait tout de même pas en faire autant avec Tom parce que sa version paraissait trop belle pour être vraie ! Ne pas mettre la charrue avant les bœufs, se morigéna-t-elle.

« Bon, merci infiniment de m'avoir consacré votre temps, Tom, dit-elle, s'efforçant d'arborer un sourire chaleureux. Je vous contacterai dès que nous aurons arrêté le planning du tournage.

— Je suis heureux de participer si c'est le souhait de ma famille. »

Jerry et Grace attendaient à l'arrière du 4 × 4 noir qui devait les reconduire à Manhattan.

« Bonne nouvelle ! » lança Jerry à Laurie quand elle les rejoignit dans la voiture. Il se tourna vers Grace. « C'est toi qui lui annonces ! C'est grâce à toi ! »

Grace avait un sourire jusqu'aux oreilles. « L'assistante d'Anna a appelé Jerry il y a cinq minutes. Apparemment, Anna, Carter et Peter acceptent de participer à l'émission. »

Jerry ajouta : « Elle a surtout déclaré qu'ils ne voulaient pas qu'un menteur comme Ivan Gray déblatère contre eux sur une chaîne nationale de télévision sans qu'ils puissent donner leur point de vue pour faire contrepoint, citant Grace presque mot pour mot.

— Bon boulot, Grace, se réjouit Laurie, levant un pouce approbateur. On peut aussi ajouter l'accord de Tom à notre petite collection. »

Elle tendit à Grace le document que Tom venait de signer.

« Comment s'est passé l'entretien ? demanda Jerry. Des détails croustillants ?

— Peut-être. Selon lui, tout est idyllique entre lui et ses cousins, mais je n'en suis pas si sûre. »

La seule certitude de Laurie, c'était que leur liste de suspects venait de s'allonger.

18

De retour aux studios, Laurie invita Grace à se joindre à Jerry et elle pour déjeuner dans son bureau. Elle voulait remercier son assistante du succès de son initiative. Grace proposa de rester si on avait besoin d'elle, mais expliqua qu'elle avait accepté l'offre que lui avait faite Ivan d'une séance d'entraînement gratuite au Punch.

Laurie était partagée. Était-ce une bonne idée que Grace profite de son temps libre pour passer du temps avec Ivan ? Certes, s'ils avaient hérité de cette affaire, c'était grâce à la relation personnelle de Ryan et d'Ivan, et Laurie estimait hypocrite d'empêcher Grace d'aller à ce rendez-vous. Mais en même temps, elle voulait la protéger, et Ivan était jusqu'à présent le suspect le plus probable.

Elle cherchait encore quoi lui répondre quand Jerry s'écria : « Tu es folle, Grace ? Cet homme est probablement un assassin.

— Laurie pense que c'est le neveu, Tom, qui a fait le coup.

— Je ne pense rien de tel, Grace.

— Je sais, dit Grace. C'est juste que je suis tellement impatiente. Chaque fois que nous commençons une nouvelle émission, je donnerais tout pour savoir qui est le coupable. Côtoyer tous ces gens jour après jour, sans savoir de qui on doit se méfier... » Elle eut un frisson. « Ça me fiche la trouille. »

Elle fourra une bouteille d'eau dans son sac de sport. « Pas de panique. Je ne vais pas m'entraîner avec Ivan. Je lui ai dit que pour éviter tout ce qui pourrait ressembler à un conflit d'intérêts, je préférais m'exercer avec quelqu'un d'autre que lui. Une sympathique boxeuse du nom de Tanya m'attend dans dix minutes. Il paraît qu'un jour elle a mis K-O un type de cent vingt-cinq kilos qui essayait de lui faucher son sac sur la ligne F. Je pense que nous allons vite devenir copines. »

Alors que Grace s'éloignait, Laurie dit à Jerry : « Si Grace se lie d'amitié avec son entraîneuse de boxe, je parie qu'elle ne mettra pas longtemps à connaître l'opinion de ladite Tanya sur M. Ivan Gray. »

Leur déjeuner était déballé – sandwich œuf dur-mayonnaise-salade pour Laurie, saumon grillé-asperges pour Jerry, qui se torturait avec un régime drastique de protéines maigres et légumes. Assis à la table du bureau de Laurie, ils examinaient le catalogue de l'exposition « La mode et les premières dames » que Charlotte avait apporté à Laurie. Ils avaient déjà retenu une cinquantaine de photos, signalées par des Post-it, en prenant soin de choisir autant de premières dames démocrates que de républicaines.

« Il risque de ne pas être facile de recréer l'atmosphère de fête du gala du Met avec de simples photos, dit Laurie. Mais impossible de remonter le temps. »

Le musée avait accepté de les laisser filmer sur la terrasse, dans le hall principal, et dans la salle du temple où les tables du banquet avaient été dressées, mais ils n'avaient pas tout le bâtiment à leur disposition, encore moins accès à toutes les pièces qui avaient été prêtées au musée par les diverses fondations et bibliothèques des anciens présidents pour organiser l'exposition.

« Détrompe-toi ! s'exclama Jerry. Ces photos sont étonnantes, et je suis sûr que l'éditeur du catalogue en a des versions haute définition. Nous obtiendrons aussi, moyennant les droits, des vidéos auprès du Red Carpet. J'ai déjà sélectionné deux séquences remarquables de Mme Wakeling serrant Barbra Streisand dans ses bras et embrassant Beyoncé sur les deux joues. Elle avait l'air aux anges, et quelques heures plus tard elle était morte. Je sais qu'il ne faut pas nous laisser affecter, mais je ne peux m'empêcher de trouver ça triste. Je regarde Virginia et je pense à ma mère, à la façon dont elle a dû mener sa vie seule lorsque les enfants ont quitté le nid familial. Virginia a longtemps vécu dans l'ombre avant de pouvoir voler de ses propres ailes. »

Jerry n'avait pas tort. Ils avaient traité des affaires où les victimes étaient beaucoup plus jeunes que Virginia Wakeling, mais elle venait juste d'entamer une nouvelle vie. C'était aussi injuste.

Laurie entendit un petit coup frappé à la porte de son bureau restée ouverte et se retourna pour voir entrer Brett Young.

« Brett ! Hors de votre habitat naturel, je vous avais à peine reconnu. » Brett n'était pas du genre à se balader dans les couloirs. Plutôt à attirer les gens sur son terrain.

Il jeta un coup d'œil au bracelet qui encerclait son poignet droit. « Julie m'a forcé à me connecter à ce machin. Je dois faire mon quota de dix mille pas par jour, sinon je n'ai pas fini d'en entendre parler. »

Si quelqu'un avait la moindre chance de modifier le comportement de Brett Young, c'était sa femme, Julie.

« Bon. Où en êtes-vous dans votre émission ? »

Pour une fois, Laurie avait la réponse qui plairait à son intraitable boss. « Nous sommes prêts. La famille Wakeling au complet sera présente. Jerry règle les derniers détails du tournage mais tout devrait rouler du côté du musée. Ma rencontre avec l'inspecteur chargé de l'enquête criminelle est imminente – dès que j'aurai fini avec Jerry. Et Ivan va passer dans l'après-midi pour signer son accord de participation. »

Brett se frotta les mains. « Qu'est-ce que je disais ! Je suis désolé de vous l'apprendre, Laurie, mais je pense que votre rivalité avec Ryan vous a donné un sacré coup de boost. Il y a longtemps que j'aurais dû engager quelqu'un qui vous exaspère. »

— Un, ça suffit amplement, Brett, répliqua Laurie.

— OK, madame Moran, message reçu. Commencez à établir le planning. »

Une fois Brett hors de portée, Jerry imita son éternelle mine ténébreuse. « Comment vous dire à quel point je suis heureux, Laurie ? J'espère que vous respecterez votre planning pour une fois.

— Fais gaffe, Jerry. Cela ne m'étonnerait pas qu'il ait placé des caméras de surveillance dans toutes les pièces. On va voir comment continuer à le rendre heureux. Tu remarqueras que je n'ai pas mentionné Penny Rawling. » Ils n'avaient pas encore les informations leur permettant d'entrer en contact avec l'ancienne assistante de Virginia Wakeling. « Je ne lui ai communiqué que les bonnes nouvelles.

— Bon, Carter a dit qu'elle s'était peut-être inscrite au Hunter College. J'ai laissé un message à un ami qui travaille dans leur service informatique.

— Il est illégal de divulguer des informations provenant des dossiers d'un établissement d'enseignement.

— Très bien, oublie ce que j'ai dit, dans ce cas, dit Jerry négligemment, passant à une autre page du catalogue. Regarde cette photo, elle est merveilleuse, non ? Il n'y aura sans doute jamais de première dame aussi gracieuse que Jackie Kennedy. »

Le modèle exposé était une parfaite robe de coton blanc à manches courtes et longue jupe plissée. Elle était drapée sur un mannequin, agrémentée d'un unique rang de perles, d'un bracelet à breloques en argent et de ballerines couleur chair.

« Cette robe est incroyablement simple pour une exposition de mode, observa Laurie. Je pourrais trouver la même aujourd'hui dans un grand magasin.

— C'est le but : le chic classique. Et regarde la photo. Elle était si belle. » Derrière le mannequin figurait un grand format noir et blanc du Président et de son épouse sur un perron, la petite Caroline sur les genoux du premier, tenant une girafe en peluche. D'après la légende, la photo avait été prise pendant l'été 1961 dans la propriété des Kennedy à Hyannis Port dans le Massachusetts, juste après que le couple avait annoncé que Jackie était enceinte de John Junior. « C'est une photo emblématique. Tu crois qu'on pourra l'utiliser pour le tournage ? Ma grand-mère avait des photos de JFK et de Jackie dans son bureau, et disait que le cours de l'histoire aurait pu être si différent. J'aurai l'impression de lui adresser ainsi un petit hommage.

— Bien sûr, Jerry. C'est une idée épatante. »

Avec un sourire, il marqua d'une étoile le Post-it qui avait déjà été apposé sur la photo. « Tu sais quelle serait l'autre bonne idée ?

— Hmm ?

— C'est que tu partes à ton rendez-vous avec l'inspecteur Hon. Ton père et toi êtes censés être à Harlem dans une demi-heure. »

19

Dans la voiture, Leo consulta sa montre. Quatorze heures trente-deux exactement. Il devait retrouver Laurie à la brigade criminelle de Manhattan Nord à quinze heures. Il était un temps où il aurait pu utiliser un gyrophare sur sa voiture banalisée pour rejoindre le West Side au plus vite. Mais même un membre à temps partiel de la cellule antiterroriste n'était qu'un simple civil quand il s'agissait de naviguer dans le réseau urbain de New York. C'est pourquoi il avait quitté son appartement avec une demi-heure d'avance.

Il avait accepté avec enthousiasme quand Laurie lui avait demandé de se joindre à elle pour rencontrer l'inspecteur chargé de l'enquête Virginia Wakeling. Leo ne connaissait pas Johnny Hon en personne, mais l'inspecteur qu'il avait appelé quand Laurie avait parlé de cette affaire lui en avait dit grand bien. Leo était toujours heureux de pouvoir, grâce à l'activité de Laurie, se replonger dans l'univers des enquêtes. Au début, il avait craint qu'on ne lui reproche de trop faire appel à « papa ». Mais avoir un flic dans sa manche peut être utile quand vous parlez à d'autres flics, et Laurie était trop professionnelle pour laisser des préjugés mesquins entraver son travail.

Leo vérifia ses e-mails sur son téléphone. Il tapait ses rapports à la machine au début de sa carrière. Il n'aurait jamais imaginé que tout le monde se promènerait un jour avec un puissant ordinateur dans la poche. Il avait un nouveau message d'Alex Buckley. Il répondait à celui que Leo lui avait envoyé la veille.

Après que les deux hommes avaient fait connaissance grâce à l'émission de Laurie, ils s'étaient vus régulièrement, avec Laurie ou sans elle, surtout pour parler de sport. Leo avait vite deviné que l'intérêt qu'Alex portait à Laurie n'était pas uniquement professionnel, et il avait constaté que son attachement s'était aussi étendu à son fils Timmy. Il avait également perçu un changement dans les sentiments de Laurie. Elle s'efforçait de ne pas mélanger les rôles, mais pouvait difficilement ignorer qu'ils avaient des atomes crochus.

Durant le tournage qui s'était déroulé au célèbre Grand Victoria Hotel de Palm Beach, Leo les avait surpris un soir en train de prendre un dernier verre, côte à côte dans deux chaises longues près de la piscine, sans aucun autre client de l'hôtel à proximité. Le rire de Laurie se faisait entendre par intermittence, couvrant le bruit du ressac. Leo n'avait vu sa fille aussi heureuse que du vivant de Greg. Quand Alex avait renoncé à son rôle de présentateur à la fin de l'émission, il avait donné pour raison son désir de se consacrer à sa carrière d'avocat, mais Leo était persuadé qu'il prenait ses distances dans le but d'avoir une relation sérieuse avec

Laurie en évitant les complications d'une collaboration professionnelle au studio.

Puis le nom d'un ancien client d'Alex était apparu au cours d'une enquête que Laurie menait pour son sujet suivant. Leo ignorait qui avait dit quoi à qui, mais au moment où le tournage avait démarré, Laurie avait reproché à Alex de ne pas l'avoir informée de ses liens avec ce client, et Alex avait cru que Laurie avait perdu confiance en lui. Ce qui n'était en théorie qu'une dispute entre un avocat et une journaliste était devenu quelque chose de beaucoup plus sérieux. Quand Leo avait trouvé Laurie en larmes un soir après avoir couché Timmy, tout ce qu'elle lui avait dit c'était qu'Alex était parti.

Par respect pour sa fille, Leo avait décidé de garder ses distances avec Alex pendant un certain temps, mais quand il avait appris la nomination de ce dernier à la cour fédérale, son premier geste avait été de prendre son téléphone. Alex était aussi son ami. Ne pas se manifester après avoir appris un tel succès était inconcevable. Cependant, il redoutait le déroulement de l'appel. Leo le féliciterait. Alex le remercierait. Et puis quoi ? Leo aborderait inévitablement le sujet de Laurie. Il ne voulait pas que sa fille l'accuse de s'immiscer dans sa vie.

Aussi, au lieu de téléphoner, il avait envoyé un court texto. *Cher Alex, ou dois-je t'appeler juge Buckley à présent ? Félicitations pour une reconnaissance bien méritée. Je n'aurais jamais cru que j'applaudirais au choix d'un avocat pour siéger à la cour, mais tu es l'un des hommes les plus brillants que je connaisse.*

La justice sera bien défendue. Fier de toi, Leo Farley. Court et amical.

La réponse était de la même eau. *Leo, c'est merveilleux d'avoir de tes nouvelles. Merci pour tes paroles encourageantes. Ton soutien est d'une grande importance pour moi. Maintenant, il reste au Sénat à donner son accord ! Mes meilleurs souvenirs à toute la famille. Alex.*

Leo lut les dernières lignes du texto, imaginant Alex en train de les composer, toujours si précis dans son expression. Laurie était persuadée qu'Alex s'était détaché d'elle, mais Leo était persuadé du contraire. Alex l'attendait toujours, espérant qu'elle se manifeste la première.

20

Lorsque Laurie atteignit l'angle de la 133ᵉ Rue et de Broadway, son père était déjà arrivé. Il se tenait devant l'immeuble banal et anonyme qui était le siège de la brigade criminelle de Manhattan Nord et s'entretenait avec un homme de type asiatique, élégant, aux cheveux noirs plaqués en arrière et aux lunettes à fine monture. Leo lui fit signe en la voyant s'approcher, puis son interlocuteur s'avança et échangea avec elle une rapide poignée de main. Tous les deux avaient remonté le col de leur manteau pour se protéger du froid.

« Vous devez être Laurie. Inspecteur Johnny Hon.

— Merci encore d'avoir pris le temps de me recevoir, inspecteur. Je suis désolée de vous avoir fait attendre dans le froid.

— Je vous en prie. J'étais descendu fumer une cigarette de toute façon. Ne le dites pas à ma femme. Je suis censé être en train d'arrêter. » Elle remarqua qu'il serrait sous le coude gauche un dossier d'une dizaine de centimètres d'épaisseur. « J'espère que vous n'y verrez pas d'inconvénient, mais j'ai cru bon d'apporter de quoi travailler ailleurs qu'ici. Le commissaire Farley mérite mieux qu'une salle de réunion poussiéreuse qui a grand besoin d'être repeinte. »

Son père haussa les sourcils, sachant que la description était conforme à la réalité. « Je vous ai demandé de m'appeler Leo, et c'est vous qui décidez, Johnny. Nous irons où vous voudrez.

— Un des points forts d'Harlem est la nourriture, et je n'ai pas encore déjeuné à cause d'une audience qui s'est éternisée. Je meurs de faim. Il y a un endroit appelé Chinelos au coin de la rue. Des tacos à se damner, trois dollars le plat. Ça vous va ? »

Laurie leva son pouce. Elle était prête à déjeuner plutôt deux fois qu'une si l'inspecteur Hon pouvait l'aider à déterminer qui était l'assassin de Virginia Wakeling.

L'endroit choisi par Hon était un restaurant minuscule éclairé au néon, carrelé, plus semblable à un délicatessen qu'à un restaurant, avec un comptoir pour passer les commandes et quelques tables dans le fond. Au moins, à cette heure de l'après-midi, il était tranquille, silencieux et, comme l'avait promis Hon, servait une délicieuse cuisine mexicaine.

Hon ajoutait une couche de sauce chili sur ses tacos quand il demanda à Laurie des nouvelles de son entrevue du matin avec la famille Wakeling. « Je m'étonne qu'ils aient même accepté de vous rencontrer, dit-il.

— Mieux. Ils vont participer à notre émission. »

Il émit un petit sifflement. « Ça, je n'aurais jamais parié là-dessus. Je suis votre émission. Quand Alex

Buckley met les suspects sur le gril et les bombarde de questions embarrassantes, ça vaut le détour. Franchement, j'aimerais le voir cuisiner la famille Wakeling.

— Nous avons un nouveau présentateur à présent, dit Laurie, tentant de dissimuler le tremblement de sa voix, mais vous avez raison, nous mettons un point d'honneur à pousser à fond les face-à-face. »

Leo se pencha vers Hon. « À vous entendre, on dirait que la famille ne s'est pas montrée très coopérative avec vous, Johnny. »

Il secoua la tête. « Pas d'une manière suspecte, rien de ce genre. Mais tous les trois – le fils, la fille, le gendre – sont prêts à faire n'importe quoi pour voir Ivan Gray derrière les barreaux. Si vous leur posez une autre question que : "Jusqu'à quel point pensez-vous le petit ami de votre mère coupable ?", ils s'impatientent, comme si vous fourriez le nez dans leurs affaires. »

Laurie se souvint du ton assuré d'Anna quand elle avait obstinément accusé Ivan du meurtre de sa mère.

« Ivan pense que l'un d'entre eux, sinon plusieurs, a tué Mme Wakeling parce qu'elle projetait de changer son testament. D'après Ivan, elle semblait vouloir laisser la presque totalité de ses biens propres à des associations caritatives. Les enfants restaient encore propriétaires de l'affaire, mais il leur aurait fallu se constituer une fortune personnelle. »

Johnny Hon approuvait de la tête. Cette théorie lui était visiblement familière. « Le problème, à moins d'inventer un moyen de parler aux morts, est que nous ne savons rien de leurs intentions. Nous disposons seulement du testament qui a été soumis au tribunal des successions à son décès. Ivan affirme qu'elle avait l'intention de le modifier, mais personne n'a confirmé ses dires. J'ai appelé l'avocat qui a rédigé le testament. Il affirme n'avoir eu aucun contact avec Mme Wakeling l'année qui a précédé son décès.

— Le mari d'Anna, Peter, était l'exécuteur testamentaire de la succession, et, selon tous les témoins, un conseil avisé, dit Laurie. Quand je lui ai demandé si Virginia avait parlé de rectifier son testament, il…

— … s'est retranché derrière la clause de confidentialité envers son client. » Tous deux avaient terminé la phrase d'un seul élan.

« Il est compréhensible que Virginia Wakeling ait eu quelque difficulté à parler à son avocat de modifier son testament, fit observer Leo. Son exécuteur testamentaire étant son gendre, elle aurait été amenée à lui dire qu'au lieu d'être léguée à la famille, la fortune des Wakeling irait à des institutions caritatives.

— Peut-être est-ce pour cette raison qu'elle ne s'est jamais décidée, ajouta Hon.

— À moins qu'on l'ait empêchée d'aller jusqu'au bout de son intention », suggéra Laurie.

Elle rompit le bref silence qui suivit. « Vous avez l'air de penser que je me borne à dupliquer le travail que vous avez achevé il y a trois ans.

— Mon ego n'a rien à voir là-dedans, Laurie. Je cherche des réponses, qu'elles viennent de moi ou d'une émission de télévision comme la vôtre, dit Hon. Je m'amuse seulement de constater que vous suivez exactement le même chemin que moi. » Il se tourna vers Leo. « Vous avez passé la plus grande partie de votre vie dans la police. Vous savez ce que c'est.

— Mon fils de neuf ans n'a qu'une idée en tête : entrer dans la police, sourit Laurie. Il nous a dit qu'il avait l'intention de se procurer les archives d'affaires classées et de les résoudre l'une après l'autre.

— La relève des Farley est assurée, ironisa Hon. En tout cas, le gendre est resté impassible quand j'ai évoqué ces modifications du testament.

— Cela n'a pas éveillé vos soupçons ? »

Hon haussa les épaules. « Je suppose que quelqu'un qui aurait voulu tuer sa mère – ou sa belle-mère – pour de l'argent n'aurait pas hésité à mentir et m'affirmer que non, absolument pas, jamais elle n'aurait changé son testament. Je pense que pour Anna et Peter la seule chose qui compte est de protéger le nom de Wakeling. Si Mme Wakeling était sur le point de modifier le testament, ils préféraient sans doute éviter que les gens l'apprennent. Leur fortune aurait paru mal acquise. Aussi, s'ils pensent que ce sujet est sans rapport avec le meurtre, ils préfèrent l'occulter. C'est ce que je voulais dire quand j'ai déclaré qu'il serait intéressant de les voir soumis à un contre-interrogatoire à la télévision.

— Mais vous ne les avez pas considérés comme suspects ? demanda Leo.

— Techniquement, tout le monde est suspect tant que l'affaire n'est pas résolue, dit Hon d'un ton égal.

— Ils n'ont pas d'alibi, n'est-ce pas ?

— Non. De nombreux témoins les ont aperçus dans le grand hall quand la rumeur a couru que quelqu'un était mort, mais ç'aurait été un jeu d'enfant de redescendre de la terrasse et de se fondre dans la masse. Anna a dit qu'elle était aux toilettes, Peter et Carter étaient tous les deux mêlés à la foule, saluant divers invités. Il était impossible de repérer exactement les allées et venues de chacun. Vous a-t-on dit que les caméras de surveillance ne fonctionnaient pas ce soir-là pour cause de maintenance ? »

Laurie hocha la tête. « Je me suis entretenue hier avec le chef de la sécurité du musée, Sean Duncan.

— C'est un type fiable. Son organisation fonctionne bien, dit Hon avec conviction. Malheureusement, il a eu peu de contacts directs avec les Wakeling le soir du gala. L'agent qui devait assurer la sécurité de Virginia Wakeling ne travaille plus dans son équipe. Il s'appelle Marco Nelson.

— Je présume que vous l'avez interrogé ? demanda Laurie.

— Naturellement. Il a été le dernier à voir Mme Wakeling en vie, hormis son assassin, bien sûr. J'ai été surpris que le Met s'en sépare.

— Il a été remercié ? s'exclama Laurie. Sean m'a dit qu'il avait été recruté par une entreprise de sécurité privée qui le payait davantage.

— Oh, je n'en doute pas, mais on l'a fortement encouragé à chercher ailleurs. Bob Grundel – le prédécesseur de Sean à la tête de la sécurité – m'a confié qu'on soupçonnait Marco d'avoir volé des articles de prix dans la boutique du musée. Apparemment, il sortait avec une des responsables de la boutique et se portait volontaire pour la vérification des sacs les soirs où elle travaillait. On dit qu'elle piquait discrètement la marchandise pendant qu'il était de service. Un honnête homme comme Sean leur aurait sans doute tendu un piège et les aurait poursuivis en justice. L'ancien chef leur a simplement donné à tous les deux le conseil d'aller voir ailleurs. Ou du moins c'est ce qu'on m'a raconté. » Hon haussa les épaules, il ne faisait que répéter des on-dit recueillis pendant l'enquête.

« Vous avez dit il y a un instant que Marco avait été le dernier à voir Mme Wakeling en vie, à l'exception de l'assassin, dit Leo. Y a-t-il une raison pour que vous utilisiez ce mot au singulier ? N'est-il pas possible que plusieurs personnes soient concernées ?

— C'est vrai, j'aurais dû dire "l'assassin *ou* les assassins". » Hon regarda Laurie. « Vous avez une théorie ?

— Comme vous l'avez dit, tout le monde est suspect. Mais j'ai vu la terrasse. Il paraît très improbable qu'une femme ait eu la force de pousser Mme Wakeling par-dessus cette large corniche. "Pousser" n'est peut-être même pas le mot qui convient pour décrire ce qui s'est passé. La rambarde a plus d'un mètre de haut et il y a une haie de buissons plantés derrière. L'auteur du crime l'a basculée par-dessus la rambarde puis poussée à travers la haie. À moins qu'on ne l'ait soulevée et jetée en bas de la terrasse d'un seul mouvement. En tout cas, si Anna ou l'assistante de Virginia, Penny, sont impliquées, elles ont sûrement eu un complice masculin.

— Vous visez large. L'assistante personnelle de Mme Wakeling ? s'étonna Hon.

— Ivan pense que Penny a pu craindre d'être remerciée si Virginia et lui se mariaient. Apparemment, il avait des doutes sur la rigueur qu'elle apportait à son travail. Et d'après ce que je sais, elle faisait partie des personnes portées sur le testament. Il ne comprend pas pourquoi elle ne l'a pas défendu auprès de la police. Selon lui, elle était bien placée pour savoir qu'ils formaient un couple heureux, et qu'il ne s'intéressait pas à Ginny pour son argent. À propos, c'est le petit nom qu'il donnait à Virginia, ajouta Laurie d'un ton pensif.

— Eh bien, il a raison au moins sur une chose, répliqua Hon. Ce n'est pas du tout l'impression que nous a donnée Penny. Elle était en tout point d'accord avec le reste de la famille : Ivan avait hâte de se marier, ses motifs étaient essentiellement financiers. Même s'il avait signé un contrat de mariage, sa situation aurait été infiniment plus confortable en tant que M. Virginia Wakeling qu'en tant que coach particulier.

— Peut-être a-t-elle soutenu la famille Wakeling parce qu'elle voulait rester leur employée, suggéra Leo.

— Il y a une théorie plus simple : peut-être disaient-ils tous la vérité à propos d'Ivan. Il utilisait cette femme pour son argent, et ayant découvert qu'il la volait, elle était sur le point de le dénoncer », déclara Hon.

Ce qui renforça la conviction de Laurie : ils devaient trouver l'ancienne assistante de Mme Wakeling avant de commencer le tournage. « Nous n'avons pas pu mettre la main sur Penny. Pourriez-vous nous y aider ?

— La dernière fois que je lui ai parlé, elle travaillait chez Wakeling Development.

— Ce n'est plus le cas.

— Alors je crains de ne pas pouvoir faire grand-chose. »

L'inspecteur Hon faisait déjà une faveur à son père en les recevant. Elle ne pouvait attendre de lui qu'il leur communique les coordonnées d'une personne privée. « Et le neveu, Tom Wakeling ? Vous êtes-vous intéressé à lui ? » demanda-t-elle.

Sa dernière bouchée de tacos avalée, Hon s'essuya les mains sur sa serviette en papier avant de répondre. « Il était sur ma liste. Quoi qu'il fasse pour le cacher, il était clair qu'il avait une dent contre la moitié fortunée de la famille. Il a raconté qu'il avait assisté au gala ce soir-là dans la seule intention d'impressionner la fille qui l'accompagnait, mais je ne serais pas étonné qu'il ait pris un malin plaisir à mettre mal à l'aise son aristocrate de tante et ses cousins en amenant une fille qui détonnait visiblement dans ce milieu. Je pense que le sentiment d'hostilité était réciproque. D'après mes souvenirs, il a hérité cinquante mille dollars de sa tante. Ce n'est pas rien, mais en comparaison de la fortune en jeu, c'est dérisoire.

— À l'entendre ce matin, ils forment aujourd'hui une grande famille heureuse et unie », dit Laurie.

Hon leva les yeux au ciel. « On peut aussi le voir autrement : votre oncle se fait des millions de dollars

125

à partir d'une idée de votre père, et vous n'en voyez pas la couleur. Mettez-vous à sa place, qu'il le montre ou non, il est impossible qu'il ne trouve pas la pilule difficile à avaler.

— Et pourtant je n'ai jamais entendu un mot sur lui avant de m'intéresser à cette histoire. Pourquoi Ivan est-il le suspect tout désigné, et pas Tom ?

— Parce que Tom est le seul membre de la famille qui ait un véritable alibi. Au contraire de ses cousins, il n'était pas mêlé à la foule. Il n'a pas quitté sa compagne.

— Tiffany Simon ? » demanda Leo.

Hon hocha la tête. « Voilà. Elle a fourni un alibi détaillé à l'époque du crime. L'assistance était un peu trop collet monté à son goût, et ils s'étaient faufilés au premier étage pour se balader dans les galeries désertes. Son récit était plutôt rigolo : elle a raconté qu'ils étaient allés regarder tous ces portraits compassés du premier étage, imitant leurs poses guindées et leurs expressions affectées. J'avoue que le jour où je suis retourné au musée avec mes gamins, nous avons fait la même chose. Très distrayant si vous n'êtes pas un grand amateur d'art.

— Tom aurait-il pu lui demander de mentir pour ne pas être inquiété ? demanda Leo, le front plissé sous l'effet de la concentration.

— Sauf que leurs versions de l'histoire concordent parfaitement », fit remarquer Hon. Un certain vieux général ressemblait à Brad Pitt, une héritière italienne à la chanteuse Cher. Peu probable qu'ils aient inventé tout ça à partir de rien. En outre, c'était seulement la deuxième fois qu'ils sortaient ensemble. Pourquoi mentirait-elle à des inspecteurs criminels alors que leur relation venait à peine de commencer ? Bonne chance pour votre émission, Laurie, mais je vais faire un pari avec vous. Revenez me voir quand tout sera bouclé et vous serez d'accord avec moi sur l'identité de l'assassin de Virginia Wakeling.

— Ivan Gray ?

— Lui-même. Je vous paie des tacos si vous me prouvez le contraire. »

Laurie vit Hon consulter sa montre et comprit que l'entretien tirait à sa fin.

« Je m'en voudrai plus tard si je ne vous ne demande pas ce que contient le dossier que vous avez apporté, inspecteur. Y a-t-il une chance qu'il concerne l'affaire Wakeling ?

— Plus qu'une chance. » Il fit glisser le dossier vers elle. « J'ai dû changer certains noms et chiffres pour des raisons de confidentialité, sinon c'est la totalité de ce que je possède. Mon enquête vous appartient. »

Elle feuilleta rapidement les pages. Le testament de Virginia Wakeling. Des photos de la scène du crime. Des rapports de police. « Je ne sais comment vous remercier.

— *De nada*. Il n'y a pas un flic dans la police qui n'admire votre père, Laurie. Et peut-être que votre émission va faire bouger les choses si longtemps après. Voir Ivan Gray enfin derrière les barreaux me ravirait.

— *Si* il est coupable.

— Oh, il est coupable, ça ne fait pas un pli. Il faut une sacrée dose de cruauté pour tuer une femme qui

21

Penny Rawling, trente et un ans, inspecta les lieux une dernière fois. L'annonce de l'agence décrivait un appartement en copropriété élégamment rénové, clés en main, comportant trois chambres à coucher et deux salles de bains au cœur du West Village, avec une vue spectaculaire du soleil couchant sur l'Hudson. En réalité, la troisième « chambre à coucher » était un cagibi servant de minuscule bureau au propriétaire actuel. L'élégante rénovation consistait en quelques accessoires à la mode mais bon marché que les acheteurs peu expérimentés prenaient pour du haut de gamme. Et pour voir l'Hudson par l'unique fenêtre du salon, il fallait se pencher sur le côté pour contourner l'immeuble voisin.

Étant donné ce qu'elle avait sous la main, Penny pensa néanmoins que l'endroit était prêt à être visité. De même qu'elle savait comment rédiger une annonce pour plaire à son employeur, elle avait l'art d'arranger un appartement avant d'y amener des acquéreurs potentiels. Avec l'autorisation du propriétaire, elle avait placé tous les objets personnels et souvenirs divers dans des boîtes en plastique qu'elle avait glissées sous le lit de la chambre principale. Des fleurs fraîches – un mélange de lis et de roses, ce que l'épicerie du coin proposait de mieux – étaient disposées dans un vase de cristal sur la table de la salle à manger. Chaque pièce semblait tout droit sortie d'un magazine de déco.

Elle prit le paquet de dépliants qu'elle avait imprimés comportant les caractéristiques de l'appartement et le plaça à côté du vase.

Elle s'immobilisa et jeta un coup d'œil à la première page, s'efforçant de refouler sa rancœur. La femme qui figurait en bas à droite était Hannah Perkins, membre de l'élite du Titanium Club, réservé aux agents ayant fait un chiffre de ventes d'un million de dollars l'année précédente.

Tout ça sur le dos de sous-fifres comme moi, pensa Penny avec amertume.

Elle avait presque terminé les soixante-quinze heures de formation nécessaires pour présenter l'examen de licence d'agent immobilier de l'État de New York. En attendant, elle gagnait vingt dollars de l'heure comme assistante, répondait aux appels téléphoniques destinés à Hannah, imprimait les documents contractuels, préparait les annonces, organisait les rendez-vous, s'occupait des évaluations, faisait les inventaires et par-dessus le marché rangeait le foutoir des vendeurs négligents – bref, faisait pratiquement tout le boulot excepté négocier le prix de vente et empocher une grosse commission à la conclusion de l'affaire.

« Un jour, je serai la star de l'agence », se promit-elle en se regardant dans la glace. Elle eut un sourire approbateur devant son nouveau style de coiffure. Elle avait récemment suivi le conseil d'une amie et adopté une coupe courte en dégradé qui mettait en valeur ses grands yeux bleus. Son nouveau et coûteux tailleur-pantalon Escada, acheté en solde heureusement, lui allait à la perfection maintenant qu'elle avait réussi à perdre cinq kilos. Prête pour intégrer le Titanium, se dit-elle fièrement en refermant à clé.

Elle pénétrait dans le hall d'entrée de l'immeuble quand son téléphone portable fit entendre sa petite mélodie au fond de son sac. Obéissant à l'injonction d'Hannah, elle avait abandonné l'allègre sonnerie pop qu'elle avait précédemment choisie. « Ne m'en veuillez pas, Penny, mais personne ne prend au sérieux une femme dont le téléphone semble appartenir à une gamine attardée. »

Penny consulta l'écran, pensant y voir apparaître le nom d'Hannah, qui la suivait toujours à la trace. Son cœur faillit s'arrêter quand le numéro apparut. Cela faisait trois ans, et elle le reconnaissait encore.

Son doigt hésita au-dessus de l'écran. Elle savait qu'elle ferait mieux d'ignorer l'appel. Rien de bon n'en sortirait. Mais de même qu'elle connaissait le numéro, elle n'ignorait pas que la personne qui était à l'autre bout de la ligne avait encore un certain pouvoir sur elle.

« Allô ?

— Tu n'as pas changé de numéro.

— Non. J'ai changé tout le reste, mais pas ça.

— Tu vas bien ?

— Je suis agent immobilier à présent », dit-elle spontanément, avant de se rendre compte qu'il était stupide de mentir. Lui, plus que tout autre, avait tous les moyens de vérifier, s'il lui en prenait l'envie. « Enfin,

presque. Je suis sur le point de passer l'examen. »
C'était seulement une petite entorse au calendrier, bien
moins facile à vérifier.

« Félicitations. Je suis fier de toi. »

Elle avala difficilement sa salive, refusant de montrer
à quel point son opinion lui importait encore. Si j'avais
été membre du Titanium Club, aurais-je été digne de
toi et de ta précieuse famille ? se demanda-t-elle. Probablement pas.

« Pourquoi téléphones-tu ? » demanda-t-elle. Son ton
était glacial, bien qu'elle eût la peau brûlante.

« Est-ce que tu as été contactée par les gens d'une
émission de télévision intitulée *Suspicion* ? La productrice est une femme du nom de Laurie Moran.

— Je connais l'émission, mais, non, ils ne m'ont pas
appelée. Pour quelle raison le feraient-ils ? Oh, bien
sûr…, ajouta-t-elle, comprenant soudain.

— Ouais, ce n'est sûrement qu'une affaire de temps
avant que les médias recommencent leur cirque. Ils
vont sans doute essayer de te joindre à un moment ou
à un autre.

— Pourquoi ? Je n'étais que l'assistante.

— Tu étais davantage. Et tu l'as toujours été.
Sans compter que tu étais sur place ce soir-là. Et
tu connaissais Ivan, dirons-nous, mieux qu'aucun
d'entre nous. »

Ivan. Combien de fois avait-elle été tentée d'aller
le trouver quand elle passait devant sa salle ? Mais il
avait tracé son chemin, tout comme elle. Peut-être le
reverrait-elle quand elle aurait sa licence, et qu'il saurait qu'elle avait adopté cette éthique professionnelle
au sujet de laquelle il la sermonnait si souvent.

« C'est la seule raison de ton appel ? demanda-t-elle. Très bien. Merci pour l'avertissement.

— Que vas-tu leur raconter ?

— Qu'est-ce que tu veux dire ?

— Si ces gens te contactent. Écoute, tu n'es même pas obligée de leur parler. Tu le sais, hein ? Tu peux simplement les ignorer.

— Et de quoi aurais-je l'air ?

— De quelqu'un qui tient à sa vie privée. Tu peux leur donner n'importe quelle excuse pour refuser. »

Une fois de plus, il ne pensait qu'à lui. Il ne s'était jamais intéressé à elle, ni alors ni aujourd'hui.

« Merci encore pour ton appel. » Elle raccrocha sans autre forme de procès.

En marchant vers la station de métro de la 4e Rue, elle se demanda combien de temps il fallait attendre avant qu'une émission comme *Suspicion* soit diffusée. Avec un peu de chance, elle aurait commencé à exercer sa profession à ce moment-là. Son nom sur les écrans de télévision de tout le pays donnerait un bon coup de pouce à un début de carrière dans l'immobilier à New York. C'était aussi une occasion de se rappeler au bon souvenir des Wakeling.

« Titanium Club, me voilà ! »

22

En regagnant son bureau, Laurie s'étonna d'y trouver Ivan Gray qui prenait congé de Grace. Ivan devait signer son accord de participation en fin de journée. J'espère qu'il n'a pas changé d'avis, se dit-elle, inquiète. Elle hâta le pas dans le couloir pour l'aborder avant qu'il ne quitte les lieux et vit qu'il tendait des papiers à Grace. « Avez-vous besoin d'autre chose de ma part ? » Laurie poussa un soupir de soulagement.

« Je peux répondre à votre question, dit-elle en s'approchant. C'est tout ce dont nous avons besoin pour l'instant. Nous vous ferons signe quand nous serons prêts pour le tournage.

— Avez-vous une idée de la date ? Je dois avouer que je suis impatient de faire connaître mon point de vue sur toute cette histoire.

— J'aurais aimé vous répondre plus précisément, lui dit Laurie, mais nous avons toujours à régler une multitude de détails. Soyez assuré que nous sommes aussi impatients que vous de connaître la vérité, toutefois nous tenons à agir avec méthode et de manière équitable envers tous. À propos, savez-vous où nous pourrions joindre l'ex-assistante de Mme Wakeling, Penny Rawling ? Nous aimerions l'interroger. »

Jerry se mêla à la conversation. « D'après la famille Wakeling, elle suivrait des cours de gestion au Hunter College après avoir quitté son emploi chez eux, mais la piste n'a mené à rien. J'ai vérifié, mon contact à l'université m'a confirmé qu'il n'y avait aucune étudiante de ce nom inscrite chez eux.

— Nous ne sommes pas restés en relation, expliqua Ivan. Lorsque j'ai tenté de la guider dans son travail, de lui apprendre à mieux s'organiser, elle a cru que je la critiquais. C'est la seule explication que je trouve à son refus de prendre ma défense auprès de la police.

— Et ses relations avec la famille Wakeling ? »

Il haussa les épaules. « Ils considéraient Penny comme une simple secrétaire, pas davantage. »

Laurie entendit Grace toussoter.

« Je regrette, dit Ivan. Je me suis mal exprimé. Seulement, elle était l'employée de leur mère et leurs rapports semblaient strictement professionnels. Je pense que Penny et moi étions plus proches. Ses parents étaient morts quand elle était petite. Je m'efforçais de lui servir de mentor. »

Le regard d'Ivan se déplaça et Laurie le vit faire un signe de la main à quelqu'un derrière elle. Elle se retourna et se retrouva face à Ryan Nichols en train de mimer un combat de boxe.

Il ne manquait plus que lui ! pensa-t-elle.

« Laurie me questionnait à propos de Penny Rawling, l'assistante de Ginny », expliqua Ivan. Laurie en avait assez que ces deux-là parlent d'elle à la troisième personne en sa présence. « Nous n'avons jamais été amis, poursuivit Ivan, mais nous avions quelque chose en commun, et elle s'est rapprochée de moi à la mort de Ginny. Mais il me semble, à voir son expression, que Laurie a eu une version différente. »

Laurie n'y tint plus. « Si vous n'y voyez pas d'inconvénient, *Laurie* est juste là, devant vous, s'agaça-t-elle en se désignant du doigt, et d'après ce que *j'*ai compris, Penny était d'avis que vous étiez terriblement impatient de vous marier. »

Il secoua la tête avec indignation. « Absolument pas. C'est tout le contraire. Je suis convaincu que Penny m'a entendu dire à Ginny que j'attendrais que nous soyons centenaires, si nécessaire. Celle-ci s'est mise à rire et a rétorqué : "Et à quoi me servirait pareil vieillard ?" Puis elle a ajouté : "En outre, je serai redevenue poussière d'ici là." » Ivan eut un sourire triste à ce souvenir.

Ryan contemplait ses richelieus à bouts fleuris, l'air incrédule.

« Qu'est-ce qu'il y a ? demanda Ivan.

— Écoutez, je vais devoir vous poser cette question à un moment donné devant la caméra, alors autant vous la poser maintenant, Ivan. Vous avez dit que vous étiez prêt à signer un contrat de mariage. Vous aviez même choisi une bague. Et pourtant elle a refusé votre demande. Elle a caché ses intentions à ses enfants. Pourquoi ne pas l'avoir laissée tomber après pareil rejet ? La plupart des hommes l'auraient quittée. »

Si Laurie avait eu des doutes concernant la contribution de Ryan à l'émission, elle devait reconnaître qu'il posait une question bien sentie à son nouvel ami. Elle était curieuse d'entendre la réponse d'Ivan.

« Je n'ai jamais pris ça pour un rejet. Elle était veuve. Elle avait profondément aimé son mari. Elle avait besoin de temps pour envisager ce que serait sa vie, non seulement sans lui, mais avec un autre homme. Je représentais quelque chose d'entièrement nouveau pour elle, un changement majeur dans son existence. Quand je lui ai offert la bague, elle a dit qu'il était trop tôt pour l'accepter. Elle avait besoin de temps, lui ai-je répondu, et j'étais prêt à attendre des années s'il le fallait. Oubliez la différence d'âge. J'étais amoureux de Ginny. Pourquoi est-ce si difficile à croire ? »

23

Alex Buckley sortit du terminal de la navette de Delta Air Lines à l'aéroport LaGuardia et monta dans la voiture noire où l'attendait Ramon derrière le volant.

« Tout s'est bien passé, monsieur Alex ?

— Un peu de pluie à Washington, des manifestants devant le Capitole, mais me voilà, avec un retard de seulement dix minutes.

— Vous avez pu voir Andrew et les enfants ? »

Ramon savait à quel point Alex était proche de son plus jeune frère, Andrew, qui était avocat d'affaires à Washington. « J'avais réservé une chambre au Ritz hier, dit Alex, mais j'ai fini par passer la nuit chez lui. Johnny est un peu déconcerté et pense que l'oncle Alex est sur le point de devenir Président, mais je crois qu'ils étaient heureux de me voir. »

Le fils d'Andrew, Johnny, était en cours préparatoire et ses notions sur les fonctions au sein de l'administration américaine étaient suffisamment floues pour qu'il confonde allègrement la nomination d'un juge à un tribunal fédéral avec l'élection du président des États-Unis. Pour ses sœurs jumelles de trois ans, l'oncle

Alex était celui qui leur avait appris à chanter « Itsy Bitsy Spider ». Encore aujourd'hui, elles mimaient l'araignée dès qu'elles l'apercevaient.

« Johnny a peut-être une boule de cristal, dit Ramon. Moi-même je ne serais pas étonné que vous soyez Président un jour. »

Tandis que Ramon les conduisait vers le Brooklyn-Queens Expressway et s'engageait sur le Triborough Bridge, Alex commença à examiner les documents que lui avait remis le comité judiciaire du Sénat et qu'il devait remplir pour l'audience de confirmation. La journée avait été un véritable tourbillon, dépassant tout ce qu'il aurait pu imaginer, et s'était terminée par une réunion dans le Bureau ovale avec le Président en personne et les autres juges récemment nommés. Si seulement ses parents avaient encore été de ce monde pour vivre ce moment ! Le Président les avait tous accueillis par une plaisanterie : « Vous regretterez peut-être un jour cet honneur quand vous verrez l'épreuve qui vous attend. »

Il n'exagérait pas. Répondre aux questions posées par ces documents lui prendrait des jours entiers. Elles touchaient à tout, du nom de ses camarades de chambre à l'université à ses réflexions sur des décisions majeures de la Cour suprême dans l'histoire des États-Unis.

Il avait lu et relu toutes les questions quand il revint à la deuxième page du dossier. Les informations requises concernaient des points relativement classiques de sa biographie, mais une section l'amena à marquer un temps d'arrêt. En haut de la page on lui demandait de fournir les coordonnées de la personne avec laquelle il vivait actuellement. Ensuite, il lui fallait identifier les épouses, ex-épouses, enfants, parents, frères et sœurs.

Rien de bien difficile dans son cas. Il était célibataire, il avait perdu ses parents dans son jeune âge. Il avait un employé de maison à domicile, Ramon, et un frère adulte qui avait sa propre famille.

Mais la troisième question de la même page était un véritable fourre-tout. *Veuillez fournir les renseignements biographiques de toute personne jouant un rôle similaire ou comparable à celui des individus énumérés ci-dessus dans les paragraphes (a) et (b), indépendamment de tout lien légal et n'entrant pas dans le cadre d'une définition formelle de la famille – concubins, colocataires occasionnels ou personnes à charge (adoptées ou non) – etc.*

J'aimerais tellement pouvoir écrire « Épouse : Laurie Moran, beau-fils : Timothy Moran », songea-t-il. Le seul fait d'y penser lui était douloureux. Une fois encore il se demanda s'il avait perdu Laurie en la pressant de s'engager avant qu'elle ne soit prête.

C'est ma faute, regretta-t-il. Je lui ai dit que j'attendrais aussi longtemps qu'il le faudrait, et ensuite je l'ai repoussée, la forçant à reprendre sa « liberté » alors qu'elle ne l'avait jamais demandé.

Il remit les documents dans sa serviette, espérant un changement inattendu du cours de sa vie avant qu'il soit obligé de répondre.

La journée avait été longue. Anna Wakeling poussa un long soupir en ouvrant la porte de son appartement sur Park Avenue.

À l'intérieur elle entendait les voix de ses deux enfants, Robbie, sept ans et Vanessa, cinq ans, qui jouaient dans le salon. Les effluves d'un poulet en train de rôtir lui rappelèrent qu'elle avait sauté le déjeuner au bureau. Dieu merci, il y avait Kara, pensa-t-elle. Leur merveilleuse cuisinière.

Elle trouva Vanessa et Robbie en train de jouer au Scrabble junior avec leur fidèle nounou, Marie. Tous les deux se levèrent d'un bond en la voyant et s'élancèrent dans ses bras.

Un petit garçon et sa sœur, de deux ans sa cadette. Comme Carter et moi, pensa-t-elle. Mais la vie de ses enfants ne ressemblait en rien à sa propre enfance. Petits, Carter et moi allions en classe à l'école publique de Queens, se souvint-elle. Je pourrais compter sur les doigts de la main les fois où notre mère a engagé une baby-sitter. Robbie et Vanessa au contraire avaient une nounou, et l'année prochaine Vanessa irait retrouver son grand frère dans une des écoles privées les plus select de l'Upper East Side.

Au début, papa nous traitait différemment. Il emmenait Carter sur les chantiers de construction, lui montrait les dessins d'architecte de ses nouveaux projets. Mais j'étais plus intelligente. Je voulais tout savoir sur le métier de papa. Je l'ai supplié de me mettre au courant. Il ne lui a pas fallu longtemps pour s'apercevoir que j'étais plus vive que Carter.

Contrairement à ses parents, Anna s'était efforcée de traiter ses enfants sur un pied d'égalité, en coupant court aux stéréotypes sexistes, prenant ainsi le contre-pied de l'éducation que Carter et elle avaient reçue. Elle n'avait pas voulu que Robbie croie avoir tous les droits parce qu'il était un garçon, ni que Vanessa se sente diminuée parce qu'elle était une fille.

25

Depuis le seuil de la porte, Kara annonça : « Le dîner sera servi dans un quart d'heure, madame Browning. »

Anna embrassa ses enfants sur le front. « Bon, les enfants, laissez-moi enfiler des vêtements confortables. Je reviens tout de suite. » Elle monta à l'étage jusqu'à son dressing pour mettre un jean et un sweater et ramassa sa longue chevelure en une queue-de-cheval souple sur la nuque.

Peter avait passé la fin de l'après-midi dans son bureau à la maison. Elle s'y arrêta pour lui annoncer qu'elle était rentrée. Il se leva et lui donna un bref baiser. « Je t'aime bien en jean, dit-il avec un regard approbateur.

— Et moi je me sens plus à l'aise comme ça… Mais, Peter, je suis inquiète. Crois-tu que nous ayons pris la bonne décision aujourd'hui ? En nous impliquant dans cette émission ?

— À mon avis, nous n'avions pas le choix, fit Peter, troublé. Si nous ne donnons pas notre version de l'histoire, Ivan sera libre de dire ce qu'il voudra, et il ne nous restera plus qu'à réagir après la diffusion de l'émission. Au moins, de cette façon, nous aurons une chance de le contredire durant le tournage. »

Anna hocha la tête. C'était le raisonnement qu'ils tenaient depuis ce matin à la suite de leur réunion avec la productrice et ses assistants. « Et si ma mère avait réellement eu l'intention de nous déshériter ?

— Comme j'étais son exécuteur testamentaire, tu ne crois pas qu'elle m'en aurait touché deux mots ? dit Peter. Après tout, elle avait vérifié avec moi les termes de son testament après la mort de ton père. »

Peter avait refusé de discuter des dispositions testamentaires de sa belle-mère avec la police, s'abritant derrière la clause de confidentialité. Il avait adopté la même attitude avec les producteurs de télévision ce matin. Mais Anna et lui n'avaient aucun secret l'un pour l'autre. « Si Virginia avait l'intention de modifier son testament, elle ne l'a pas mentionné devant moi, répéta-t-il. D'un autre côté, elle m'a assuré que si elle décidait d'épouser Ivan, elle lui ferait signer un contrat de mariage.

— Mais avait-elle fait allusion à son intention de léguer l'argent à une œuvre caritative ? »

Peter prit les mains de sa femme dans les siennes. « Pourquoi t'inquiètes-tu tellement de tout ça, ma chérie ?

— Imagine qu'elle ait confié à ses amis son souhait de laisser sa fortune aux causes qu'elle soutenait ? Que penseront-ils en apprenant que nous avons hérité de cet argent qui était supposé revenir à ces œuvres ? Nous passerions, je ne sais pas... » Elle se tut.

« Anna, la rassura Peter d'un ton apaisant. Tu travailles dur. Cet argent, tu l'as gagné. »

Elle secoua la tête. « Je n'ai rien fait à côté de tout ce qu'a accompli papa. Nous vivons de son travail, pas du nôtre.

— Nous vivons de l'entreprise qu'il a créée. C'est toi qui l'as maintenue à flot et fait prospérer, protesta Peter avec véhémence. Tu n'as pas à avoir honte que ton père t'ait laissé un formidable héritage. »

Elle hocha la tête de nouveau, mais son expression dut trahir ses véritables sentiments. Peter hésita, puis sa voix s'adoucit : « C'est à cause de Carter, n'est-ce pas ?

— Souviens-toi de la veille de la mort de maman. Carter craignait qu'elle change son testament. Il nous a demandé à brûle-pourpoint si nous savions quelque chose. Nous avons tous les deux pensé qu'il était paranoïaque au sujet des projets financiers de maman, et que la relation qu'elle avait avec Ivan y était pour beaucoup. »

La voix d'Anna tremblait. « Après le meurtre, quand la police a commencé à poser des questions sur le testament de maman, Carter a paru complètement bouleversé. Aucun de nous n'a parlé de cette conversation à la police. Mais si notre mère avait l'intention de nous déshériter et que Carter l'avait appris… » Anna ne put aller au bout de sa pensée.

« C'est impossible, Anna. Tu parles de ton propre frère.

— Qui, aujourd'hui encore, passe plus de temps à courir les jupons et à s'amuser qu'à travailler pour gagner sa vie. Peut-être était-il soûl, ou je ne sais quoi…

— Nous l'avons vu ce soir-là, aussitôt après avoir compris que c'était ta mère qui était tombée. Il n'était pas soûl. Il était anéanti.

— Et si ça avait été un accident ? Peut-être ont-ils eu une dispute sur la terrasse et a-t-elle fait un pas en arrière… »

Peter l'enlaça pour tenter de la calmer. « Ce n'est *pas* ce qui est arrivé, dit-il fermement. Ivan Gray a tué ta mère. Et cette émission va permettre de le prouver enfin.

— Si seulement tu disais vrai ! Il n'en reste pas moins que Carter a bien posé des questions sur le testament de maman la veille de sa mort.

— Nous sommes les seuls à le savoir, et nous n'en parlerons à personne, jamais. Maintenant, allons dîner. »

26

Un profond silence régnait dans l'appartement quand Laurie alla se coucher ce soir-là. Timmy était au lit depuis une heure. C'était un de ces rares moments de silence complet à New York : pas un klaxon, pas une sirène dans le lointain.

Elle alluma la télévision, baissa le volume. Elle fit défiler les chaînes jusqu'à ce qu'elle trouve la rediffusion d'un épisode de *New York, police judiciaire*. Elle savoura le bruit de fond, la familiarité de la série, le tremblement de la faible lueur dans l'obscurité.

Elle ouvrit le tiroir de sa table de nuit et en sortit le petit écrin de velours qui y était soigneusement rangé. Elle en retira son alliance de platine et la mit à son annulaire gauche, comme elle le faisait souvent lorsque Greg lui manquait et qu'elle n'arrivait pas à s'endormir.

Elle pensa à la réponse d'Ivan Gray cet après-midi lorsque Ryan lui avait demandé pourquoi il était resté avec Virginia, même après qu'elle eut refusé d'accepter officiellement sa demande en mariage. « Elle avait besoin de temps et j'étais prêt à attendre des années s'il le fallait. Oubliez la différence d'âge. J'étais amoureux de Ginny. Pourquoi est-ce si difficile à croire ? »

Laurie se souvint de l'époque où elle croyait qu'Alex nourrissait pour elle les mêmes sentiments. Par la suite, elle avait éprouvé sa loyauté en l'accusant de lui avoir menti lorsque les intérêts de l'un de ses anciens clients étaient entrés en conflit avec son enquête. Rétrospectivement, elle comprenait qu'Alex ne faisait que protéger son client, comme la loi l'y obligeait. Mais le mal était fait. Comme Ivan, Alex avait accepté d'attendre, croyant que Laurie avait seulement besoin de temps pour s'engager dans une nouvelle relation. Mais à la suite de cette dispute, il s'était persuadé que ses hésitations le concernaient lui personnellement. Tu as tort, pensa-t-elle. Tu es la seule personne qui m'ait jamais redonné le goût de vivre.

La veille, elle avait le cœur serré lorsque Charlotte lui avait rapporté avoir vu Alex en compagnie d'une autre femme. Jouer l'indifférence avait été un calvaire. Mais était-ce honnête de ma part de lui demander d'attendre alors que je m'endormais tous les soirs en pensant à Greg ? En me demandant à quoi ressemblerait notre vie aujourd'hui s'il avait vécu ?

Elle fit tourner son alliance autour de son doigt. Quand elle la portait, elle avait l'impression que Greg était de nouveau auprès d'elle. Peut-être le verrait-elle dans ses rêves ? Peut-être aurait-elle le sentiment – ne serait-ce que quelques minutes, dans son sommeil – qu'il était toujours là ? « Je n'ai jamais pensé qu'il me faudrait vieillir sans toi, mon amour », dit-elle à voix haute.

Cette nuit-là elle s'endormit en pleurant, son alliance au doigt.

27

Trois jours plus tard, le lundi matin, Laurie sortit de l'ascenseur des studios Fisher Blake, prête à considérer l'affaire Virginia Wakeling d'un œil neuf. Tout s'était déroulé si vite depuis que Ryan Nichols avait suggéré – ou quasiment exigé – que Laurie reprenne l'enquête du meurtre. Elle savait qu'elle devrait lui en être reconnaissante. Après avoir craint que Ryan ne détonne dans son émission, elle devait reconnaître que le sujet qu'il avait proposé était excellent. Et, jusqu'ici, la production se déroulait sans heurts.

Elle se souvint que Greg se plaignait souvent de l'administration de l'hôpital, enlisée dans ses habitudes. Au lieu d'accepter une solution simple, ils multipliaient les plans et les analyses jusqu'à la paralysie. Était-ce sa tendance actuelle ?

Elle trouva Grace dans l'embrasure de la porte du bureau de Jerry. Laurie appréciait toujours ces séances matinales de débriefing. Elle consacrait ses week-ends à Timmy mais vivait par procuration les aventures insouciantes de Grace et Jerry. Grace racontait en l'occurrence une de ses mésaventures.

« Oh, tu tombes à pic, dit Grace en levant la tête. J'en étais à la partie la plus savoureuse. » Elle entra dans le bureau de Jerry, suivie de Laurie.

Laurie ne put s'empêcher de remarquer que Grace était habillée différemment ce matin. Elle portait une jupe plissée arrivant au genou et un pull ras du cou blanc. Sa tenue ressemblait furieusement à un uniforme d'écolière, bien loin de ses tenues habituelles.

Jerry, au contraire, était fringant en veste de tweed, chemise à carreaux et nœud papillon à rayures. « Je ne vois pas comment cette histoire pourrait être plus savoureuse, dit-il. On n'en est même pas aux entrées, et voilà que notre bonhomme a déjà dit à Grace qu'elle ressemble à la plus belle femme qu'il ait jamais connue – à savoir sa mère. Il l'a priée de porter des souliers plats la prochaine fois, afin qu'elle ne soit pas plus grande que lui, parce qu'il a ajouté sept centimètres à sa taille sur son profil en ligne. Et il s'est assuré qu'ils partageraient la douloureuse avant qu'elle commande son steak. »

Laurie secoua la tête et rit. « Je ne sais pas comment tu fais, Grace. On dirait que rencontrer quelqu'un de nos jours à New York, c'est comme partir en opération commando.

— Figure-toi que c'est en embrassant des crapauds qu'on trouve le prince charmant, lui rétorqua Grace. Et cela donne toujours des anecdotes savoureuses. Bref, quand il quitte la table pour passer un coup de fil, je demande au serveur de nous apporter l'addition dès la fin du dîner. Ni dessert ni café.

— Futée, dit Laurie.

— Nous partageons l'addition, bien entendu. Je me dis alors qu'il doit être aussi impatient que moi de ficher le camp, mais au moment de partir, il fait remarquer qu'il est encore tôt et que les boutiques sont ouvertes au Time Warner Center. Il me propose de l'accompagner chez Hugo Boss pour l'aider à choisir un costume.

— Pourquoi pas ? dit Jerry.

— Attends ! Pour choisir un costume pour la fille avec laquelle il doit sortir le lendemain soir. Et là, il me lance : "Elle vous ressemble beaucoup, vous avez sans doute les mêmes goûts." »

Quand ils eurent fini de rire, Grace prit un air sérieux. « Désolée. Je bavarde trop. C'est l'heure de se mettre au boulot. Quel est l'ordre du jour, Laurie ? »

D'abord la transformation vestimentaire. Puis cette façon de s'excuser. C'était inhabituel de la part de Grace.

Laurie décida qu'elles parleraient chiffons plus tard.

« Discussion sur l'affaire Wakeling. Rendez-vous dans mon bureau dans vingt minutes, fit-elle.

— Parfait, dit Grace. Tu veux que je prévienne Ryan ? »

Laurie réfléchit. Certes, c'était Ryan qui leur avait amené Ivan. Mais d'un autre côté, elle l'imaginait déjà en train d'expédier l'enquête. Son instinct lui disait que tout allait trop vite. Non, elle n'allait pas « changer ses habitudes ». Ryan et Brett l'avaient amenée à douter d'elle-même, mais elle avait toujours agi en s'en remettant à son intuition.

Quelque chose lui échappait, et elle allait continuer à creuser la question avec Jerry et Grace jusqu'à ce qu'elle trouve.

28

Une fois qu'ils furent installés dans son bureau, Laurie commença par dresser la liste des personnes qui avaient déjà accepté de participer à l'émission, cochant le nom des suspects éventuels.

Ivan Gray. Carter Wakeling. Anna Wakeling. Le mari d'Anna, Peter Browning. Le cousin, Tom Wakeling.

Les cinq noms étaient dans sa ligne de mire.

« Tu avais dit que la police avait écarté le cousin, dit Jerry.

— Jusqu'à présent, oui. Tom et sa petite amie, Tiffany Simon, ont déclaré qu'ils étaient tous les deux dans l'American Wing au premier étage, qu'ils s'amusaient à regarder les portraits. La police a cru à leur histoire. Et ils ont supposé que cette femme ne mentirait pas pour protéger Tom car c'était seulement leur deuxième rendez-vous. »

Grace secoua la tête. « Mais c'est sans compter que le lieu du deuxième rendez-vous était le gala le plus huppé de la ville, et qu'elle sortait avec un homme qui portait le nom de Wakeling. Pour certaines femmes, ce genre de relation aurait valu la peine d'être protégée, fit-elle remarquer.

— Tu as raison, dit Laurie. Voilà pourquoi je garde Tom sur notre liste de suspects. Je veux aussi m'entretenir avec la petite amie. D'après ce que j'ai entendu dire, Tom et Tiffany se sont perdus de vue depuis trois ans. Elle n'aurait aucune raison de couvrir Tom maintenant. » Elle inscrivit le nom de la femme – Tiffany Simon – dans une colonne séparée, sur sa liste des choses à faire. « On peut espérer qu'elle sera plus facile à retrouver que l'assistante de Mme Wakeling, Penny Rawling. A-t-on une piste de ce côté ? »

Jerry secoua la tête. « Ivan n'a plus son numéro de portable, à supposer que ce soit toujours le même. »

Il arrivait parfois à Laurie de regretter les jours anciens, quand on trouvait un numéro dans les pages blanches ou, à la rigueur, en composant le 411.

Elle ajouta le nom de Penny Rawling sous celui de Tiffany et le cocha. Penny n'était pas la suspecte la plus vraisemblable, mais elle n'était pas non plus à l'abri de tout soupçon.

Elle tapota son crayon sur son carnet de notes. « J'aimerais me faire une idée plus précise des enfants de Virginia Wakeling. Difficile d'avoir une opinion tranchée en si peu de temps.

— Si tu veux mon avis, dit Grace, Anna a tout du chef de bande.

— Son mari vient immédiatement après dans la hiérarchie, compléta Jerry. Ensuite, un bon cran en dessous, le frère, Carter. »

Toujours impatiente de sauter aux conclusions, Grace, envisageant l'hypothèse où les enfants étaient impliqués dans l'histoire, imagina un scénario. « C'est sûrement Anna qui a mené le bal. Elle a déclenché l'alarme pour créer une diversion, et son mari a alors suivi Mme Wakeling sur la terrasse. Combien d'hommes n'ont pas eu envie, une fois ou deux dans leur vie, d'expédier belle-maman dans l'autre monde ?

— C'est déjà difficile d'imaginer qu'on puisse concocter tout un plan pour assassiner un parent, dit Laurie. Je suis peut-être sexiste, mais cela me paraît encore plus choquant de la part d'une fille de tuer sa mère.

— D'un autre côté, dit Jerry, je verrais bien Carter en loup solitaire. Nous avons tous remarqué qu'il vit dans l'ombre de sa cadette. Il en a peut-être conçu du ressentiment. Si Ivan dit la vérité, Virginia songeait à modifier son testament et les enfants auraient dû gagner leur vie en travaillant dans la société. C'est manifestement Anna qui menait la barque de Wakeling Development, Carter a peut-être eu peur qu'elle trouve un moyen de l'écarter.

— Soit ils ont tous agi de concert, conclut Laurie. Soit c'est Ivan, Penny ou Tom. Dans ce dernier cas, Anna et Carter sont deux innocents qui ont perdu leur mère. » Elle avait l'impression de tourner en rond. Elle aurait tellement aimé pouvoir parler de l'affaire avec Alex – et pas seulement de l'affaire. « Quelle que soit la façon dont fonctionne cette famille, il est clair qu'ils sont tous les trois soudés. Ils se protègent mutuellement. Nous avons besoin de quelqu'un – en dehors d'Ivan – qui nous donne un autre aperçu de leur relation avec leur mère et belle-mère. D'où l'importance de trouver Penny Rawling au plus vite.

— Je continue à la chercher, fit Jerry.

— Je sais », dit Laurie. Elle ne voulait pas lui donner l'impression qu'elle lui faisait un reproche.

« Et le neveu, Tom ? demanda Jerry. C'est juste un cousin. Il serait peut-être plus disposé à nous rapporter des ragots ?

— Ça m'étonnerait. Primo, tant que je n'ai pas parlé à Tiffany Simon, nous devons le tenir lui aussi pour suspect. En plus, je me suis déjà entretenue avec lui en personne. Il a peut-être été le mouton noir de la famille pendant trois ans, mais aujourd'hui il ne demande qu'à rester proche du clan. Il ne dira rien qui puisse nuire à sa situation auprès d'eux. »

Elle jeta un coup d'œil à sa liste. Qu'est-ce qui lui échappait ?

« Si nous démarrons la production maintenant, nous n'avons guère que la parole d'Ivan contre le reste de la famille », constata Jerry.

Laurie haussa les épaules. « C'est mon problème avec cette affaire depuis le début. Je crains que nous n'apprenions rien de neuf.

— En tout cas, Brett ne pourra pas dire que tu ne l'as pas prévenu, dit Grace pour la réconforter.

— Et j'ai déjà de quoi faire quelque chose de tout à fait glamour avec ce sujet, dit Jerry, élevant la voix. Désolé pour le côté frivole, mais les robes à elles seules vont faire exploser l'audience. Prêtes pour un aperçu ? »

Grace et Laurie se rassirent et Jerry épingla une série de photos sur le grand tableau de liège du bureau de Laurie. Grace poussa des oh ! et des ah ! à la vue de ses robes préférées. Laurie ne manqua pas d'applaudir en voyant l'image de Jackie Kennedy dans sa robe de coton blanc. C'était celle que Jerry avait choisie en hommage à sa grand-mère.

« Là, ce ne sont que des photos, expliqua-t-il, mais au moment du tournage, nous les insérerons dans la vidéo du gala. Elle sera très animée. Nous alternerons avec les images de la scène du crime – rien de sanglant, naturellement, mais la rubalise de la police en travers de la terrasse, peut-être quelques traces de sang sur la neige. Je n'ai encore rien sélectionné. Évidemment, c'était plus agréable de choisir les robes, ajouta-t-il avec un sourire.

— Bravo ! » applaudit Laurie. Elle était entrée à la télévision avec une formation de journaliste, mais Jerry était diplômé en arts graphiques quand il avait été engagé par Fisher Blake comme stagiaire. Sa spécialité était de créer des visuels forts, en particulier pour la télévision.

« J'aurais seulement aimé avoir accès à quelques-unes des robes, dit-il. Si nous pouvions en utiliser ne serait-ce que trois, que nous exposerions dans un coin du musée. Je pourrais faire des merveilles.

— Désolée, Jerry, mais le Met a signifié qu'il n'en était pas question, dit Laurie. Ces robes ne font pas partie de leur collection permanente. La plupart appartiennent aux bibliothèques présidentielles, à la Smithsonian Institution et autres musées.

— Je sais. J'espérais qu'il suffirait d'un claquement de doigts pour obtenir leur permission.

— Eh bien, si tu avais des pouvoirs magiques, je préférerais que tu les utilises pour trouver ces deux femmes, et fissa, lui fit Laurie. Tiffany Simon et

Penny Rawling. Elles pourront peut-être nous montrer toute cette petite famille sous un jour nouveau. » Son sentiment qu'il leur manquait des pièces du puzzle était tenace. « Je sais juste que Brett va nous forcer à commencer le tournage d'un jour à l'autre.

— Pas besoin de pouvoirs magiques », annonça Grace. Elle regardait l'écran de son iPhone. « Penny Rawling reste encore insaisissable, mais je crois avoir trouvé Tiffany Simon. »

Elle tendit son téléphone à Laurie et Jerry où figurait le website d'une agence appelée Mariage Mobile. Leur slogan était « Quand vous êtes prêt à dire oui », et ils s'engageaient à fournir en tout point du Grand New York tout ce dont vous aviez besoin pour vous marier. La directrice et « ministre du culte » était une dénommée Tiffany Simon.

Laurie examina la photo de Tiffany, notant les faux cils, le maquillage appuyé, et le décolleté plongeant.

Pas vraiment le style du gala du Met, pensa-t-elle. Elle ne s'étonnait pas que les cousins de Tom n'aient pas apprécié sa petite amie.

« Pourquoi attendre ? » dit-elle tout haut, saisissant son téléphone pour composer le numéro inscrit sur le site. Une voix flûtée répondit : « Mariage Mobile. Tiffany à l'appareil. »

La voix correspond à la photo, songea Laurie. Elle se présenta et expliqua la raison de son appel.

La réponse qu'elle reçut dépassait tous ses espoirs. « J'adore votre émission ! s'exclama Tiffany. Je serais folle de joie d'y participer. Seigneur, je peux vous en raconter un paquet sur les Wakeling. Quelle bande de snobs. »

Elle pourrait être une mine d'informations, pensa Laurie en proposant à Tiffany de la rencontrer le lendemain à l'heure qui lui conviendrait.

« Oh, je viendrais volontiers, dit Tiffany, mais j'ai rendez-vous avec de nouveaux clients dans la matinée et en début d'après-midi. Et je dois tout préparer pour un mariage que je célèbre à cinq heures. La cérémonie se déroule sur le quai, le long de l'*Intrepid*. Le marié était dans la marine et il désire avoir le cuirassé en arrière-plan sur les photos du mariage. Voulez-vous que nous nous rencontrions ensuite, disons vers six heures ?

— Six heures, c'est parfait, confirma Laurie.

— Formidable. Le Landmark Tavern se trouve dans la Onzième Avenue, 46e Rue. C'est au rez-de-chaussée d'un vieil immeuble élégant, très commode pour moi. Le menu est typique d'un pub anglais, si cela vous convient. »

Je ne viens pas pour la nourriture, sourit Laurie in petto. « Très bien. À demain, donc. »

Laurie raccrocha et regarda les visages chargés d'espoir de Jerry et Grace. « J'ai rendez-vous avec Tiffany Simon, et elle semble impatiente de déverser sa bile sur la famille Wakeling. »

29

Le lendemain après-midi, Laurie arriva la première au Landmark Tavern. Elle choisit une table d'où on apercevait facilement la porte d'entrée. Quelques minutes plus tard, Tiffany apparut. Laurie la reconnut aussitôt d'après la photo affichée sur le site Mariage Mobile. Quand elle se leva et lui fit un signe de la main, Tiffany se faufila jusqu'à sa table. Elle avait les joues rosies par le froid et frissonna en ôtant sa parka qu'elle garda néanmoins sur les épaules.

« On gèle dehors, dit-elle avec un soupir. J'aurais dû leur prendre plus cher.

— Il fait très froid aujourd'hui, admit Laurie, avant d'ajouter : Merci d'avoir accepté de me rencontrer.

— Je vous en prie, répondit simplement Tiffany. Comme je vous l'ai dit au téléphone, je suis contente d'avoir une occasion d'éreinter un peu les Wakeling. »

Quand la serveuse s'approcha, Laurie commanda un verre de chardonnay.

« J'ai besoin de quelque chose d'un peu plus fort, annonça Tiffany. Je vais plutôt prendre un double Chivas Regal.

— Je vous comprends, sourit Laurie. Avant de parler des Wakeling, j'ai une question à vous poser. Simple curiosité. Comment en êtes-vous arrivée à organiser des mariages ? »

Tiffany eut un petit rire. « Un coup de chance. Comme parier sur le bon cheval. Il y a deux ans, je m'étais donné un mal fou pour organiser le mariage d'amis proches qui s'étaient fiancés. C'était une cérémonie intime, mais ils voulaient quelque chose de spécial. On aurait dit le prince William en train d'épouser Kate Machin-Chose. Je me suis dit que je devais trouver un moyen de célébrer moi-même le mariage. Il se trouve que la ville vous y autorise si vous êtes ministre du culte, et j'ai trouvé une église sur le web qui m'a donné son agrément. Difficile à croire, n'est-ce pas ? Quoi qu'il en soit, je me suis finalement rendu compte que j'avais pris plus de plaisir à organiser ce mariage que dans aucun de mes jobs précédents. Je me suis dit : Pourquoi pas ? Ça vaut le coup d'essayer. Des tas de gens veulent se marier. Ils n'ont pas besoin de trucs compliqués. J'arrive avec des fleurs en soie, un photographe correct, et la paperasse.

— Simple et de bon goût.

— Oui. En fait, c'était ma devise quand j'ai ouvert mon site. Et aujourd'hui mon but est d'aider les gens à célébrer le jour le plus heureux de leur vie avec la personne qu'ils aiment. Ou la deuxième ou troisième fois qu'ils découvrent le véritable amour, dit-elle avec un grand sourire.

— Bravo, la félicita Laurie. Et maintenant, venons-en à ce qui nous amène ici. Je me réjouis sincèrement de pouvoir m'entretenir avec vous du meurtre de Virginia Wakeling.

— Je suppose qu'on a cité mon nom parce que j'accompagnais le neveu au gala n'est-ce pas ? demanda Tiffany tout en faisant signe à la serveuse de lui servir un deuxième scotch.

— Exactement, confirma Laurie. Nous sommes à la recherche de toute information concernant les allées et venues de ses divers amis et parents durant la soirée au moment de sa mort.

— Bon, je ne peux vous parler que d'une seule personne, à savoir Tom. Nous n'en étions même pas au milieu du dîner que je commençais à m'ennuyer ferme. Sa famille était assise à une table voisine. Ils n'arrêtaient pas de me lancer des regards mauvais, comme si j'étais une moins-que-rien. Tom et moi étions à une table réservée à des gens qui n'avaient acheté qu'un ou deux billets et ne se connaissaient pratiquement pas. Pas des marrants, par-dessus le marché. Il y avait un couple originaire de je ne sais où au Moyen-Orient. Ils avaient un accent très prononcé et j'avais du mal à comprendre ce qu'ils disaient. Un autre couple avait plus de quatre-vingt-dix ans, et tous les deux dormaient à moitié. J'ai essayé d'égayer un peu la soirée en leur racontant des histoires sur ma grand-mère, mais j'avais beau hurler, ils n'entendaient rien. »

Laurie vit des larmes briller dans les yeux de Tiffany. « Votre grand-mère est-elle toujours en vie ?

— Elle a eu une attaque il y a un an et vit dans une maison de retraite depuis lors. Elle perd un peu la mémoire, elle se souvient surtout des hommes qui lui couraient après quand elle était danseuse. » Tiffany avala une gorgée de scotch. « Finalement, Tom et moi avons décidé de nous lever de table et d'aller faire un tour. En voyant les deux gardiens postés en bas de l'escalier regarder ailleurs, j'ai pris la main de Tom et nous avons grimpé les marches quatre à quatre.

— C'était au moment où l'alarme s'est déclenchée ? »

Tiffany eut l'air de ne pas saisir la question. « Quelle alarme ?

— Excusez-moi. C'est sans importance. » Pendant un instant, Laurie avait oublié que le chef de la sécurité du Met lui avait expliqué que l'alarme était silencieuse. « Qu'est-ce qui avait distrait les gardes ?

— L'un d'eux montrait son téléphone à l'autre. J'ai eu l'impression qu'il était en train d'envoyer des photos de la soirée. Si vous voulez mon avis, les gens passent trop de temps sur les réseaux sociaux. Où que vous alliez, il y a toujours quelqu'un de collé à son téléphone. Vous n'êtes pas d'accord ?

— C'est vrai », confirma Laurie. Elle appréciait de plus en plus cette femme pleine de fantaisie.

« Bref, on s'est faufilés tous les deux au premier étage. Il n'y avait personne en vue – je veux dire, absolument personne. C'était impressionnant. On a tout visité. Et je me souviens encore – parce que ce fut vraiment le seul moment drôle de toute la soirée – que nous regardions cette kyrielle de vieux portraits solennels, nous amusant à mimer leurs expressions. Aucun ne souriait. Puis je me suis rappelé qu'on m'avait raconté qu'ils avaient l'air sinistres parce qu'ils avaient les dents gâtées. Je l'ai dit à Tom qui a éclaté de rire. »

Laurie acquiesça. « On dit que George Washington ne souriait jamais parce qu'il avait honte de ses dents en bois. »

Laurie comprenait pourquoi l'inspecteur Hon avait instinctivement cru que Tiffany disait la vérité. Elle racontait son histoire comme si elle était arrivée la veille. Ses souvenirs étaient bel et bien réels.

« Mais quand avez-vous compris que la tante de Tom avait été assassinée ?

— Nous nous cachions derrière une colonne en haut de l'escalier. Au bout d'un quart d'heure nous avons décidé de rebrousser chemin. Nous attendions que les gardiens regardent de nouveau leurs téléphones portables pour redescendre en douce. Mais lorsque nous avons jeté un coup d'œil en bas, on aurait dit qu'une bombe venait d'exploser dans le grand hall. Les flics et les agents de sécurité couraient dans tous les sens, c'était une bousculade générale. Tout le monde était debout et essayait de comprendre ce qui était arrivé. Je suis certaine que personne ne nous a vus quand nous avons rejoint la foule. J'ai demandé à quelqu'un ce qui se passait, et il a dit qu'une femme était morte. Nous ne savions pas qui était cette femme jusqu'à ce que j'aperçoive Anna près d'un type qui avait l'air d'un policier. Elle sanglotait dans les bras de son mari. Quel terrible spectacle. J'ai su qu'il s'agissait de Mme Wakeling – comme instinctivement. Quoi qu'il en soit, Tom a couru vers elle et il l'a entendue dire à la police que si sa mère avait été assassinée, c'était Ivan Gray le coupable. Ça a été affreux pour lui d'apprendre comme ça que sa tante était morte. » Tiffany secoua la tête. « Vous comprenez, Tom n'était qu'un cousin, et c'était leur mère qui était morte, mais ils ne lui ont pas adressé la parole ce soir-là. J'étais vraiment triste pour lui. Il pleurait. Il était comme orphelin. »

Pendant une seconde, l'image d'Alex traversa l'esprit de Laurie. Il lui avait dit un jour qu'il avait eu l'impression d'être sans famille quand son frère était parti s'installer à Washington. « Tiffany, Tom est-il resté avec vous pendant tout le temps où vous vous amusiez au premier étage ? demanda-t-elle, tâchant de se concentrer sur son enquête. Il ne s'est pas absenté pour aller aux toilettes ou je ne sais où ?

— La police m'a posé la même question ce soir-là, quand tout était frais dans mon esprit. Non, on ne s'est pas quittés une minute. Est-ce que vous aurez besoin de moi pour votre émission ? J'ai vraiment envie d'y participer.

— Je ne pense pas mais je n'en suis pas certaine, répondit Laurie. Il est tard. Si nous dînions ici ? Le hachis Parmentier me paraît idéal par ce temps. »

Tiffany secoua la tête avec un soupir. « Je regrette, mais j'ai un loulou de Poméranie à la maison qui va probablement faire pipi sur le tapis d'ici quelques minutes. »

Laurie leva la main pour demander l'addition et dit à Tiffany de ne pas attendre si elle était pressée.

« Je ne vais quand même pas laisser ce chiot m'empêcher de finir cet excellent scotch. Il m'a bien réchauffée. »

Laurie but une autre gorgée de vin. Tiffany n'avait sans doute pas grand-chose d'autre à lui dire, mais elle voulait entretenir le lien avec elle au cas où elle aurait finalement besoin de son témoignage.

166

Tiffany lui facilita les choses : « Laurie, j'aimerais beaucoup apparaître dans votre émission, ne serait-ce que pour quelques minutes. Au passage, si vous pouviez mentionner que j'organise des mariages, ce serait formidable. Et je ne peux pas partir sans vous demander des nouvelles de Tom.

— D'après les informations que j'ai obtenues, il travaille pour la société de promotion immobilière que son oncle et son père ont fondée ensemble. Il semble s'intéresser beaucoup plus à sa carrière aujourd'hui qu'il y a trois ans. Il est toujours célibataire, au cas où cela vous intéresserait.

— Pas vraiment. Je connais un tas de femmes qui donneraient tout pour sortir avec un membre de cette famille, mais pas moi. De vrais bonnets de nuit. On ne rit jamais avec ces gens-là. Honnêtement, j'ai souvent eu envie de conseiller à Ivan de se tirer. C'était le plus sympa de la bande, si vous voulez mon avis. Pour moi, il est inenvisageable qu'il ait tué Mme Wakeling. Il lui apprenait surtout à profiter de la vie.

— Une seule soirée avec eux vous a suffi pour comprendre tout ça ?

— J'ai un sixième sens pour ce genre de choses. »

Elle disait cela comme si toute autre explication était superflue. « Dans ce cas, qui a tué Virginia Wakeling à votre avis ? » demanda Laurie.

Tiffany répondit sans même prendre la peine de réfléchir. « Je vous parie qu'elle a sauté.

— Personne n'a jamais évoqué qu'elle était dépressive ou même instable.

— Ce n'était pas ça le problème. Je pense qu'elle s'est rendu compte qu'elle était avec un type super

comme Ivan, mais qu'elle n'avait pas l'énergie suffi-
sante pour continuer à le défendre contre ses enfants.
C'est eux qui sont responsables.

— Vous le croyez vraiment ?

— Absolument. J'ai beau avoir côtoyé ces gens
disons… à peine une dizaine de minutes, croyez-moi,
si j'étais coincée avec cette bande de pisse-froid, je
sauterais peut-être du haut d'une terrasse moi aussi. »

30

En regardant Tiffany Simon en face d'elle, Laurie fut convaincue qu'elle disait la vérité. Elle ne couvrait pas Tom Wakeling. Elle n'était visiblement pas impressionnée par la famille et ne cherchait certainement pas à gagner leurs faveurs.

Après avoir réglé la note, elle remercia encore la jeune femme du temps qu'elle lui avait consacré. Au moment de sortir, Tiffany se ravisa et leva un doigt comme si elle venait de se rappeler quelque chose. « Avez-vous parlé à l'assistante ?

— Vous voulez dire l'assistante de Virginia, Penny ?

— Oui, c'est bien son nom. Charmant et suranné. Pas comme elle. » Tiffany n'avait de toute évidence pas une haute opinion de Penny Rawling. « Quand j'ai dit que certaines femmes donneraient tout pour sortir avec un Wakeling, Penny fait partie du lot.

— C'est-à-dire ?

— C'est tellement ancien, j'ai oublié ce qu'elle m'a dit exactement. Quelque chose comme : "Tom n'est que le cousin, mais quand même... vous avez de la chance." C'était de mauvais goût, comme si j'avais gagné le gros lot en sortant avec Tom. Mais ce n'est pas le plus intéressant. Elle a ensuite fait une drôle de réflexion : "C'est le prince qui m'intéresse." Ou peut-être a-t-elle dit "golden boy".

— Vous pensez qu'elle avait des vues sur le fils de Virginia, Carter ? C'était le seul fils de la famille.

— C'est marrant. Sur le moment j'ai pensé au mari de la fille, l'avocat. À la réflexion, c'est probablement parce que je le trouvais mieux que les autres. Mais c'est vrai, le fils paraît plus plausible. En tout cas, j'ai eu l'impression qu'il y avait quelque chose entre elle et l'un des deux. »

Laurie se souvint du portrait qu'avait fait Ivan de Penny, constamment au téléphone avec un mystérieux petit ami. Et d'après lui, Penny avait choisi sa tenue pour le gala avec un soin tout particulier, laissant supposer que son chevalier servant inconnu serait présent.

Tiffany fouilla dans la poche de sa parka. « Je vois que vous ne portez pas d'alliance, dit-elle soudain. Mais vous vous apprêtez à prendre une décision importante. J'ai de l'intuition pour ces choses-là… » Sa voix s'était faite plus sourde.

Elle regardait Laurie fixement, les yeux plissés. Qu'est-ce qui lui prenait ?

Tiffany planta alors ses yeux dans les siens et sourit. « Je ne vous ai pas dit que j'ai des talents de médium. J'ai une prémonition, et paf, ça arrive. Vous ne portez pas d'alliance. C'est parce que vous êtes à la veille de faire un choix décisif. »

Elle sortit une carte de sa poche et la fourra dans la main de Laurie. « Si vous prenez la décision qui à mon avis s'impose, appelez-moi. Je vous organiserai le mariage le plus beau, le plus merveilleux dont vous puissiez rêver. »

Une fois dans le taxi, Laurie prit son carnet de notes dans son sac. Elle raya le nom de Tiffany de sa liste, et effaça la croix qui cochait le nom de Tom. Puis elle entoura d'un grand cercle le nom de Penny Rawling.

Le taxi n'était qu'à six blocs de l'appartement de Laurie quand son téléphone sonna. Sur l'écran s'inscrivit le nom d'Alexis Smith, un journaliste de la rubrique spectacles du *New York Post*. Laurie fut tentée de laisser l'appel basculer sur sa messagerie vocale, mais elle ne voulait manquer aucune occasion d'obtenir un soutien pour son émission.

« Hello, Alexis.

— Salut, Laurie. Ça fait un bout de temps. J'ai vu ton ancien présentateur la semaine dernière à la première d'un documentaire sur les erreurs judiciaires, et je me suis souvenu alors que tu avais pris quelqu'un de nouveau. Alex était super, mais Ryan est vraiment fait pour la télévision.

— Merci », dit Laurie, ne sachant quoi répondre. Elle aurait voulu qu'on cesse de lui rappeler qu'Alex se montrait partout dans New York sans elle. « Tu m'appelles pour me parler de Ryan ?

— Non, je t'appelle à propos de *Suspicion*. Est-ce que tu peux me confirmer que ta prochaine émission aura pour sujet le meurtre non résolu de Virginia Wakeling ? »

Comment la rumeur s'était-elle déjà répandue ? Laurie ne faisait pas confiance à Ryan, et Alexis venait de mentionner son nom. Mais elle savait qu'il ne révélerait jamais sa source, et Laurie ne pouvait poser la question sans confirmer l'information. Elle lui fit donc la réponse standard. « Nous cherchons toujours à étudier des affaires dites classées sous des angles nouveaux. Nous annoncerons notre prochaine émission spéciale dès que la date en aura été fixée. »

En descendant du taxi, il lui semblait qu'un compte à rebours venait de s'enclencher dans sa tête. Non seulement Brett la harcelait, mais allait s'y ajouter maintenant la pression d'un article de presse dévoilant le sujet de leur enquête. Et malgré tout Laurie ne pouvait chasser l'impression tenace qu'ils allaient trop vite. Elle était en train de passer à côté de quelque chose d'important. Elle devait absolument trouver Penny Rawling.

31

Penny Rawling s'empara de la dernière table encore libre au Starbucks du Cooper Square. Elle eut la bonne surprise d'y trouver un exemplaire abandonné du *New York Post* du jour et parcourut distraitement les titres tout en savourant son petit café mocha.

Elle avait l'esprit ailleurs. Depuis qu'elle avait reçu l'appel de son ex à propos de cette émission de télévision, elle ne cessait de penser à lui. Elle avait espéré en être définitivement guérie. Il avait suivi son chemin et elle le sien, c'est du moins ce qu'elle voulait croire. Et voilà qu'elle était en train de rêver de lui à nouveau.

Il avait pris un ton détaché en lui parlant de *Suspicion*, mais elle le connaissait mieux que personne, après toutes ces années. Elle avait deviné au son de sa voix qu'il ne voulait pas la voir mêlée à cette émission. Mais pour qui se prenait-il pour lui dicter sa conduite ? Après la mort de Virginia, il l'avait jetée comme une malpropre.

Au début, elle avait juste pensé qu'une émission de téléréalité serait un bon moyen de lancer sa carrière dans l'immobilier mais, à la réflexion, elle y voyait un avantage supplémentaire. Cela lui permettrait sans doute de le revoir. Elle s'imaginait entrant en même temps que lui dans le studio. En la voyant, il s'apercevrait qu'elle avait toujours été la femme qu'il lui fallait.

Ou alors, sachant qu'elle serait sans doute interrogée à propos du meurtre de Virginia, il la rappellerait. Il demanderait à la rencontrer pour savoir ce qu'elle avait l'intention de dire. Quand il verrait le chemin qu'elle avait parcouru, il s'intéresserait de nouveau à elle. C'était normal, non ?

Le seul problème était que les producteurs ne l'avaient pas encore contactée. Et si elle prenait l'initiative de les solliciter, ils demanderaient comment elle était au courant de l'émission. C'était un vrai casse-tête. Il ne lui restait plus qu'à attendre. Tout finirait bien par arriver.

Machinalement, elle tourna la page suivante du *Post*. Elle manqua de lâcher sa tasse à la vue d'une photo de Virginia Wakeling entrant au Met au bras d'Ivan Gray. Elle reconnut aussitôt la robe, avec son corsage de velours noir et l'ample jupe bleue. Penny l'avait aidée à choisir les derniers détails avec le couturier. Elle était absolument parfaite.

Virginia mourrait quelques heures après que cette photo avait été prise.

Penny reposa son café et se concentra sur le texte qui accompagnait la photo, dans la rubrique « Page Six » :

UN NOUVEAU REBONDISSEMENT
DANS L'AFFAIRE WAKELING ?

Une célèbre émission de téléréalité va peut-être semer la pagaille au sein du gotha des milieux de l'art, de l'immobilier et du fitness.

« Page Six » a appris en exclusivité que Suspicion, l'émission qui reprend des enquêtes sur des affaires classées avec la participation de personnes suspectées, pourrait s'intéresser prochainement au meurtre de Virginia « Ginny » Wakeling. Les fans d'affaires criminelles se souviendront que Virginia Wakeling était la riche veuve du magnat de l'immobilier Robert Wakeling. Elle est décédée en tombant de la terrasse du Metropolitan Museum of Art au cours du gala annuel du Costume Institute. Le premier à avoir été soupçonné fut son boyfriend et coach personnel, Ivan Gray, de vingt et un ans son cadet.

Aujourd'hui, trois ans après, c'est apparemment Ivan Gray lui-même qui part en campagne pour blanchir son nom. Un journaliste du Post l'a surpris en train de se vanter auprès d'un client de son célèbre club, le Punch, que Suspicion était « sur l'affaire ». Cependant, les réalisateurs de l'émission n'ont pas voulu confirmer la version d'Ivan. Laurie Moran, la productrice exécutive, a déclaré : « Nous cherchons toujours à étudier des affaires dites classées sous des angles nouveaux. Nous annoncerons notre prochaine émission spéciale dès que la date en aura été fixée. »

Alors Ivan est-il bien informé ou invente-t-il des histoires destinées à sa clientèle ? À « Page Six », nous souhaitons que cette nouvelle soit véridique. Suspicion remporte succès après succès. Découvriront-ils une nouvelle fois la vérité ? La suite au prochain numéro...

32

Le lendemain matin de sa rencontre avec Tiffany Simon, Laurie était plongée dans le *New York Post* ouvert à la rubrique « Page Six » qu'on retrouvait, paradoxalement, à la page douze du journal.

Au moins, ce n'était pas Ryan qui était à l'origine des fuites sur leur émission. D'après l'article, quelqu'un avait entendu Ivan en parler pendant un entraînement.

Ryan et elle se trouvaient dans son bureau pour parler des décisions à prendre.

« Franchement, je ne vois pas où est le problème », dit Ryan. En fait, il souriait d'un air satisfait, comme s'il se réjouissait de ce qui arrivait. « Ça nous fait de la pub. Le taux d'audience est le fondement de notre métier. »

Il s'exprimait chaque jour un peu plus comme Brett. Laurie se demanda s'il avait vu l'image qui circulait via les e-mails du personnel du studio. On y voyait Brett tenant la main d'une version réduite de lui-même, sur laquelle quelqu'un avait collé le visage de Ryan. Dans une bulle au-dessus de Ryan, on pouvait lire : « J'adore mon mini-moi. » Laurie soupçonnait fortement Jerry d'être l'auteur du photo-montage, mais elle n'allait sûrement pas jouer les accusatrices.

« Nous ne sommes pas la seule équipe capable de s'intéresser à cette affaire, Ryan. Maintenant qu'on sait que nous y travaillons, d'autres médias pourraient nous coiffer au poteau. Ivan a enfreint ses engagements à notre égard en parlant à un client de notre projet.

— Et que voulez-vous y faire à présent, Laurie ? Laisser tomber cet épisode après tout le boulot déjà accompli ? » Il désigna les documents et les photos empilés sur le bureau de Laurie. « Retenir ses honoraires de participation ? Croyez-moi, il s'en fiche. Écoutez, je lui parlerai de cet article. Il bavardait avec un client. Il n'avait pas l'intention que la nouvelle sorte dans la presse. Je lui dirai de se montrer plus discret à l'avenir. »

Il n'y avait rien d'autre à faire dans ces circonstances. Ils étaient trop avancés pour stopper les frais. « Très bien, dit Laurie. Quand vous le verrez, pouvez-vous lui demander s'il a entendu dire que Penny Rawling sortait avec quelqu'un de la famille ? » Elle le mit au courant de son entretien avec Tiffany Simon. « Elle pense que Penny avait un amoureux caché qui assistait au gala ce soir-là. S'il s'agissait d'un des Wakeling, cela pourrait tout changer.

— Carter ?

— Ou Peter, le mari d'Anna. Le mariage n'est pas un obstacle pour certaines personnes.

— Quel scandale ! murmura Ryan en prenant un air de conspirateur. Je demanderai à Ivan s'il sait quelque chose à ce sujet. »

Deux heures plus tard, Jerry montrait à Laurie un premier aperçu du diaporama qu'il avait monté. Comme prévu, le contraste était frappant entre les photos glamour d'un des événements mondains les plus chics de New York et les images plus sombres qui évoquaient la violence de la scène qui s'était déroulée sur la terrasse. Une civière couverte d'un drap. Du sang sur la neige. La rubalise condamnant la scène du crime.

« Ce n'est qu'un diaporama. Une fois animé, il sera beaucoup plus dynamique, comme une vidéo. »

Laurie feuilletait le carnet de notes que l'inspecteur Hon lui avait remis, s'assurant qu'ils ne passaient pas à côté d'une information ou d'une image capitales. « J'ai toujours ce doute à propos du déclenchement de l'alarme cette nuit-là », fit-elle. L'alarme avait été activée par quelqu'un qui s'était approché d'un détecteur protégeant six mannequins. Laurie examinait les photos représentant cette partie de l'exposition. On n'y remarquait rien de particulier. « C'est arrivé quelques minutes seulement avant que Virginia passe par-dessus la rambarde. Personne ne me fera croire que c'était une coïncidence. Et je ne crois pas non plus que la police a jugé qu'il s'agissait d'un hasard. L'alarme a distrait l'attention des agents de la sécurité, ce qui a permis à l'assassin de se glisser dans l'escalier et de grimper jusqu'à la terrasse. Et pourtant Ivan a été leur principal suspect. »

Jerry l'écoutait dérouler le fil de ses pensées. « S'il a agi seul, dit-il, il lui a fallu déclencher l'alarme, monter l'escalier en courant, tuer Virginia et redescendre.

— C'est possible, reconnut-elle. Mais, il y a un instant, en évoquant le rapport entre l'alarme et le meurtre, nous supposions qu'elle avait été déclenchée pendant que le ou les assassins montaient l'escalier en vitesse.

— Donc, s'il s'agit d'Ivan, il aurait eu un complice ? »

Laurie se rappela les propos tenus par Tiffany lui rapportant que Penny se vantait de sa relation avec un des membres de la famille. D'après la jeune femme, Penny avait déclaré que c'était le prince qui l'intéressait. Ou le golden boy. Ivan était en passe de devenir le futur M. Virginia Wakeling. Était-il possible que le mystérieux compagnon de Penny fût Ivan ? C'est lui qui avait cité Penny comme suspect potentiel, mais il avait aussi affirmé qu'il n'avait aucun moyen de les aider à la localiser.

C'était un peu tiré par les cheveux mais pas impossible. Laurie s'apprêtait à exposer sa théorie à Jerry quand Grace frappa à la porte et passa la tête dans le bureau.

« Désolée de vous interrompre, mais tu ne m'en voudras pas, Laurie. J'ai Penny Rawling en ligne. Elle a lu l'article de "Page Six" et veut te parler. »

33

Maintenant qu'elle avait Laurie Moran au téléphone, Penny ne savait plus trop quoi lui dire. Elle ne voulait pas donner l'impression d'être trop désireuse de participer à l'émission. « Madame Moran, je vous appelle parce que j'ai lu dans le *Post* que vous prépariez une émission sur le meurtre de Virginia Wakeling.

— Je crains de ne pas pouvoir vous le confirmer. »
Penny avait déjà appris par l'un des participants que l'émission aurait lieu, mais elle ne pouvait pas dévoiler toutes ses cartes. En outre, elle comprenait que la productrice ne souhaite pas divulguer des informations au téléphone. Rien ne prouvait à Laurie Moran qu'elle était bien Penny. Elle pouvait être une journaliste en quête d'informations. Elle décida malgré tout de se lancer.

« Eh bien, au cas où cette nouvelle serait exacte, je voudrais que vous sachiez comment me joindre. Virginia Wakeling était mon employeur, ainsi que son mari, Bob, avant sa mort. Ma mère avait été la secrétaire de

Bob pendant plus de quinze ans. Je les aimais beaucoup tous les deux. »

Penny sourit, assurée d'avoir trouvé le ton qui convenait. Aimable, sans paraître impliquée personnellement. Et le fait d'avoir rappelé que sa mère avait travaillé pour Bob pouvait convaincre la productrice qu'elle ne cherchait pas à la flouer.

« Vous travaillez toujours pour la société Wakeling ? » demanda Laurie.

La question étonna Penny. La production l'avait certainement déjà posée à la famille. Elle comprit que son interlocutrice la mettait à l'épreuve, doutant encore de son identité.

« Non. Je suis toujours dans l'immobilier, mais pas chez les Wakeling. J'ai trouvé d'autres opportunités ailleurs après la mort de Virginia. » Après avoir travaillé aussi longtemps pour des femmes d'une certaine classe, Penny aimait croire que leurs manières avaient en partie déteint sur elle. Elle avait un ton posé et respectable.

« Étiez-vous avec Mme Wakeling le soir de sa mort ? »

La question était visiblement un nouveau test. « Pas avec elle sur la terrasse, naturellement, dit Penny, mais j'assistais au gala. »

Laurie avait apparemment compris que Penny n'était pas une de ces tordues qui téléphonaient sous des prétextes fallacieux, car elle poursuivit : « En fait, nous sommes toujours à la recherche d'éléments nouveaux s'agissant d'affaires non élucidées, et le cas Wakeling reste un mystère fascinant. Auriez-vous un peu de

182

temps à me consacrer pour me parler de vos souvenirs de cette soirée ?

— Je m'arrangerai, si cela peut être utile. Je ferais n'importe quoi pour cette chère Virginia.

— Je peux venir chez vous ou à votre bureau si cela vous est plus commode », proposa Laurie.

Le seul espace dont disposait Penny à son travail était un cagibi près de la machine à café, et la dernière chose dont elle avait envie était qu'une productrice de télévision voie son minable studio dans le quartier de Flatbush. Sans réfléchir, elle débita une autre adresse, dans un appartement de luxe de Tribeca. « Écoutez, dit-elle, je ne veux pas vous obliger à vous déplacer si loin. Je viendrai moi-même à votre bureau.

— Je vous en prie, protesta à son tour Laurie. Vous me faites une faveur, Penny. Le moins que je puisse faire est de vous éviter un déplacement. Quelle heure vous conviendrait ? C'est un peu précipité, je sais, mais je suis libre cet après-midi ou dans la soirée. »

Penny écarta le récepteur de son oreille, consulta rapidement son agenda, puis reprit la conversation.

« Désolée, mais je suis prise toute la journée. Je pourrai vous voir chez moi demain à une heure et demie.

— Une heure et demie demain. Parfait », fit Laurie.

Elles échangèrent leurs numéros de portable au cas où l'une d'elles aurait du retard. En raccrochant, Penny pria pour que Laurie soit à l'heure. Le propriétaire de l'appartement serait absent le lendemain après-midi entre une heure et cinq heures, et Penny avait déjà rendez-vous à trois heures avec l'acheteuse qui devait venir avec son décorateur. Laurie et elle ne devraient pas s'attarder.

34

Laurie venait de raccrocher quand elle aperçut Ryan debout à sa porte. Elle lui fit signe d'entrer.

« Quelles nouvelles ?

— Je reviens de Punch, où j'ai discuté avec Ivan. Il a bien compris la leçon. Il ne parlera plus de l'émission à ses clients, ni à personne d'autre.

— Merci. A-t-il dit quelque chose de plus sur l'identité du mystérieux boyfriend de Penny ? »

Ryan secoua la tête. « Il affirme qu'il n'a jamais remarqué l'existence du moindre flirt entre Penny et Carter ou Peter. Sa première réaction a été de me rappeler que Tiffany avait la réputation d'être une cinglée dotée d'une imagination débordante.

— Elle est assez excentrique, c'est vrai, dit Laurie, mais elle avait un souvenir très précis de Penny laissant entendre qu'elle avait une histoire avec un membre de la famille. Je ne vois pas pourquoi Tiffany mentirait sur ce point.

— En effet. J'ai insisté auprès d'Ivan, et il a admis que c'était possible. Il penche plutôt pour Carter, qui était un véritable séducteur. Il n'a jamais entendu dire que Peter trompait Anna, mais il a ajouté qu'il ne serait pas surprenant que Peter soit las d'être – selon son expression – "mené à la baguette par la reine Anna".

— J'ai eu une autre idée après votre départ, dit Laurie. Et si Tiffany voulait parler d'Ivan ?

— Ça n'a aucun sens. La seule raison pour laquelle Ivan charge Penny est qu'elle n'a pas pris sa défense après le meurtre de Virginia.

— Peut-être qu'elle ne l'a pas fait parce qu'elle voulait cacher qu'elle voyait Ivan dans le dos de sa patronne. » Laurie pensait tout haut à présent, comme elle en avait l'habitude avec Alex. « Ou alors, elle a soupçonné Ivan après coup, et voulu garder ses distances.

— Dans ce cas, pourquoi Ivan nous a-t-il mis sur la piste de Penny ? »

Quand elle avait ces séances de brainstorming avec Alex, chacun d'eux mettait à profit les observations de l'autre et, ensemble, ils s'approchaient peu à peu de la vérité. Mais il en allait autrement avec Ryan. Il n'avait de cesse de la critiquer, comme s'il voulait instinctivement étouffer sur-le-champ chacune de ses idées.

« Il ne nous a pas mis sur la piste de Penny, répliqua-t-elle. Pas réellement. Il nous l'a indiquée comme une éventuelle suspecte, mais sans nous dire comment nous pourrions la contacter.

— À ce propos, je vous ai entendue téléphoner à une certaine Penny. Vous l'avez trouvée ?

— C'est elle qui m'a appelée, en réalité. Elle a vu l'article de "Page Six".

— Donc Ivan nous a aidés, finalement.

— Involontairement, oui.

— Vous la voyez demain à une heure trente, c'est ça ? »

Laurie se fit la réflexion qu'elle ferait mieux de fermer sa porte quand elle téléphonait. « Oui, dans son appartement à Tribeca.

— Formidable. Je suis libre. Je passerai ici vers une heure. Nous pourrons prendre ma voiture. »

35

Cet après-midi-là, seule à sa table de réunion, Laurie étudiait le dossier que l'inspecteur Johnny Hon lui avait remis. Plus particulièrement, elle examinait des photos de la section du musée consacrée à l'exposition prises le soir du gala, après que le corps de Virginia Wakeling avait été découvert dans la neige derrière le bâtiment. Techniquement, l'exposition elle-même n'était pas la scène du crime. Ce qui avait provoqué la chute mortelle de Virginia avait eu lieu sur la terrasse.

Aux dires des agents de sécurité, une alarme s'était déclenchée dans la galerie quelques minutes avant que l'on découvre Virginia. Était-ce une coïncidence ? Peut-être. Mais il était aussi possible que quelqu'un ait activé l'alarme pour attirer la sécurité dans une partie du musée pendant que l'assassin de Virginia – ou les assassins – la suivait sur la terrasse.

Ce qui tracassait Laurie était l'emplacement de l'alarme. D'après l'enquête menée à cette époque, le service de sécurité du musée avait dit à la police que l'alarme s'était déclenchée dans la galerie C de l'expo- sition. En examinant les photos, Laurie constata que la galerie C était une vaste salle ouverte avec deux rangées de mannequins alignés de chaque côté, ménageant une large allée au milieu pour les visiteurs. L'alarme s'était mise en marche quand quelqu'un – ou quelque chose – avait traversé le rayon lumineux protégeant les vêtements exposés du côté est de la salle.

N'ayant pas visité les lieux, Laurie avait du mal à en visualiser la disposition. Cependant, dans sa préface, le catalogue officiel décrivait l'agencement de l'espace tel que le commissaire de l'exposition l'avait conçu, en présentant les pièces dans l'ordre exact où le lecteur les aurait découvertes s'il avait parcouru lui-même les galeries. Se basant sur ce qu'elle déduisait de sa lecture, Laurie en concluait que la galerie C était située à peu près au milieu de l'exposition. Sauf erreur de sa part, cela signifiait qu'elle n'était pas à proximité immédiate de l'entrée ni de la sortie de l'exposition.

Si vous tentiez de déclencher une alarme pour créer une diversion, se demanda Laurie, feriez-vous tout le trajet jusqu'au milieu de la galerie ? Ce choix lui paraissait étrange.

Ses réflexions furent interrompues par un léger coup frappé à sa porte ouverte. Elle leva les yeux et aperçut Grace.

« Bonjour toi, dit Laurie.

— Tu as une minute à m'accorder ? demanda Grace.

— Bien sûr. Entre. »

Grace, en général si assurée, se dirigea timidement vers sa place habituelle sur le canapé de cuir blanc. Elle tenait dans une main un cahier à spirale, et dans l'autre, un stylo. Laurie alla s'asseoir dans un fauteuil voisin, près de la fenêtre, et la regarda d'un air interrogateur. Grace s'éclaircit la voix, comme pour se donner du courage.

Laurie sourit, espérant la tranquilliser. « Je voulais te parler, moi aussi. Je crois savoir ce dont il s'agit.

— Vraiment ? »

Laurie hocha la tête. « J'espère seulement ne pas arriver trop tard. Tu ne vas pas me donner ta démission, n'est-ce pas ? »

Grace ouvrit de grands yeux. « Bien sûr que non. Tu plaisantes ? J'adore mon travail ici.

— Ouf, Dieu merci, dit Laurie en poussant un soupir de soulagement.

— Comment as-tu pu croire que j'allais partir ? »

Laurie secoua la tête. « Tu avais l'air tellement sérieuse quand tu es arrivée. Et j'ai remarqué récemment que tu t'habillais différemment – plus classique et plus discret. Je ne plaisantais qu'à moitié en disant que je craignais que tu sois embauchée ailleurs.

— Non, cette idée ne m'a jamais traversé l'esprit.

— Je suis contente de te l'entendre dire. Je ne sais pas ce que je ferais sans toi, Grace. Alors, de quoi voulais-tu me parler ?

— Tu te souviens que Jerry nous a dit hier qu'il aimerait avoir accès à certaines des robes des premières dames qui étaient exposées au musée ?

— Oui.

— Il était tellement excité à cette idée que j'ai voulu savoir d'où provenaient toutes ces robes.

— D'après le chef de la sécurité du Metropolitan Museum, certaines faisaient partie de leur collection permanente. La plupart avaient été prêtées par des collections présidentielles ou divers musées.

— Je sais, mais pas la totalité. Quelques-unes provenaient de collectionneurs, et j'ai cherché ce que je pourrais trouver sur ces gens. L'un d'eux est un certain Gerard Bennington. »

Ce nom n'évoquait rien à Laurie. « Et qui est Gerard Bennington ?

— Un type qui sort de l'ordinaire, si tu veux mon avis. C'est un photographe de mode connu. On le voit toujours au premier rang à la Fashion Week et il est lié avec tous ceux qui font la mode. Il se considère aussi comme un chanteur de talent. Il a même passé une audition pour *Find a Star*. »

Find a Star était une sorte de radio-crochet télévisé produit par les studios Fisher Blake. Après avoir lancé les carrières de trois chanteurs pop couronnés par des Grammy Awards, l'émission était devenue moins populaire ces dernières années. D'après ce que savait Laurie, l'émission était encore rentable grâce à tous les produits dérivés.

« Je me demande s'il est toujours propriétaire de ces robes.

— C'est justement ce dont je voulais te parler. J'espère que tu ne m'en voudras pas d'avoir pris l'initiative. J'ai obtenu son numéro de téléphone par l'assistante de production de *Find a Star* et je l'ai appelé. Il possède deux robes qu'il avait prêtées au musée pour l'exposition – l'une appartenait à Jackie Kennedy, l'autre à Betty Ford.

— A-t-on une chance qu'il nous les prête pour l'émission ? Jerry serait aux anges !

— Je lui ai posé la question. Et, on n'y peut rien, Laurie, mais il a vu l'article de "Page Six". Quand je lui ai dit que je l'appelais de la part de la production de *Suspicion*, il a tout de suite compris qu'il s'agissait de l'affaire Virginia Wakeling. Il a dit que nous pouvions utiliser les robes à condition que son nom soit cité et qu'on lui accorde au moins une minute à l'antenne. Il assistait au gala et il pourrait parler des robes elles-mêmes ou de l'atmosphère qui régnait dans le musée après la découverte du corps de Virginia.

— C'est faisable. Quelques mots d'un témoin objectif qui se trouvait sur place ajouteraient un peu de peps. »

Grace leva son stylo pour indiquer qu'elle n'avait pas terminé. « Il a posé une condition supplémentaire, ajouta-t-elle timidement.

— Je dois m'inquiéter ? »

Grace gloussa. « Non, mais les producteurs de *Find a Star* peut-être. Gerard voudrait avoir une nouvelle chance de montrer ses talents.

— Une nouvelle audition ? »

Grace hocha la tête.

Laurie entretenait des rapports amicaux avec le producteur de l'émission. Elle ne doutait pas qu'il se montrerait coopératif. « Je vais l'appeler tout de suite pour lui demander son accord et je te dirai quand nous pourrons l'annoncer.

— Tu te charges de contacter Gerard ? »

Laurie remarqua que Grace appelait pour la deuxième fois le photographe par son prénom. Elle savait s'y prendre avec les gens, c'était indéniable. « Plus tard, quand nous commencerons les entretiens. Mais tu pourrais régler tous les détails avec lui ? Tu t'es visiblement bien débrouillée jusque-là. »

Un grand sourire éclaira le visage de Grace. « Merci, Laurie.

— Non, c'est moi qui te remercie, Grace. Sans ces robes, l'émission ne serait pas la même. »

Grace se levait quand Laurie voulut ajouter quelque chose. « Tu sais combien tout le monde t'apprécie ici, Grace.

— Je crois, oui.

— La semaine dernière, tu nous as dit que ta sœur te conseillait de changer ta façon de t'habiller si tu voulais être perçue différemment. C'est ce qui explique tes nouvelles tenues ? Tu penses qu'on ne te prend pas au sérieux ? »

Grace haussa les épaules, et Laurie regretta de l'avoir embarrassée.

« En tout cas, en ce qui me concerne, tu pourrais porter un tutu rose et des ballerines vertes, peu m'importe.

Tu es formidablement sérieuse et il suffit d'un brin de cervelle pour s'en apercevoir. »

Grace sortit du bureau d'un pas plus allègre qu'à l'habitude. Laurie nota mentalement qu'il fallait qu'elle fasse le point sur son budget et prévoie une augmentation bien méritée.

Comme prévu, Jerry jubila à l'idée de pouvoir disposer de deux robes de première dame pour l'émission. Lorsque Laurie eut la confirmation que les producteurs de *Find a Star* auditionneraient Gerard Bennington une seconde fois, elle laissa Grace mettre au point les détails avec lui et lui faire signer les documents nécessaires.

Elle avait également laissé Grace annoncer la nouvelle à Jerry durant l'après-midi. Jerry la serra fort dans ses bras en lui disant qu'elle lui sauvait la vie.

Il s'empara immédiatement du gros catalogue de l'exposition, cherchant les deux robes qui avaient été prêtées au musée par le collectionneur Gerard Bennington. La robe de Betty Ford était un long fourreau de soie bleu-vert à manches fluides en organza. La photo qui l'accompagnait montrait Mme Ford dansant avec un comédien célèbre durant un dîner officiel donné en l'honneur du président du Liberia.

Jerry retint son souffle quand il découvrit la deuxième tenue prêtée par Bennington. C'était la robe de coton blanc qu'il avait déjà montrée à Laurie. Il avait projeté d'inclure dans l'émission la célèbre photo des Kennedy sur le porche de leur maison de Hyannis Port, un hommage à sa grand-mère, qui était une grande admiratrice des Kennedy. Maintenant il allait pouvoir montrer la robe elle-même.

« Il faut que j'appelle sans tarder l'administration du musée. Si j'obtenais l'autorisation de disposer d'un bout de galerie, nous pourrions donner l'illusion d'une exposition beaucoup plus grande et demander à certains participants de s'y promener comme s'ils la visitaient le soir du gala.

— Ce serait formidable », dit Laurie distraitement, toujours occupée à feuilleter le gros dossier que lui avait communiqué l'inspecteur Hon. Elle continuait de s'interroger sur la localisation de l'alarme qui s'était mise en marche la nuit du crime. Si elle avait été déclenchée par l'assassin lui-même, c'était dans le but de pouvoir ensuite s'éclipser rapidement et suivre Virginia jusqu'à la terrasse, profitant de cette diversion. Même si c'était un complice qui s'en était chargé, Laurie supposait qu'il aurait choisi instinctivement un endroit proche de l'entrée ou de la sortie de l'exposition, afin de s'échapper plus facilement et plus vite.

Elle examina de nouveau les photos de la partie est de la galerie C, la zone sous alarme. Une des robes exposées à cet endroit était la robe de coton blanc que Gerard Bennington avait mise à la disposition du musée. Laurie eut un sourire satisfait. Grace avait accompli un miracle en leur obtenant le prêt de ces deux robes historiques et Jerry de son côté travaillait d'arrache-pied à son conducteur, tous deux plus enthousiastes qu'ils ne l'avaient jamais été. Ils étaient aussi passionnés par l'émission qu'elle l'était elle-même.

Comme son regard passait du conducteur de Jerry à son propre dossier, elle remarqua une différence entre deux prises de vue.

« Jerry, rappelle-moi d'où tu as tiré toutes les photos que tu utilises dans ton planning.

— Je les ai trouvées dans l'album que Charlotte t'a donné. » Il s'approcha de la table de réunion, s'empara du livre qui était sous un bloc-notes, et tapota la couverture. « C'est pratiquement ma bible, en ce moment.

— Y compris la photo de la robe blanche de Jackie Kennedy ? Elle provient du même album ?

— Oui oui.

— Et tu dis que le catalogue de l'exposition a été réalisé avant le meurtre de Virginia ?

— Absolument. Ils voulaient qu'il soit en place dans la librairie du musée au moment de l'ouverture de l'exposition. Pourquoi ? Qu'est-ce qu'il y a ? »

Elle fit pivoter vers lui le dossier qu'elle compulsait et posa le doigt sur la photo qui représentait la partie est de la galerie C. « Jette un œil à ça. »

Jerry étudia alternativement la photo du dossier, prise par la police, et celle de la robe blanche dans le catalogue officiel de l'exposition. « La robe est exactement la même.

— La robe, oui, admit Laurie, mais regarde là. » Du bout du doigt, elle dessina un cercle imaginaire autour du poignet du mannequin. « Pas de bracelet. »

Sur la photo officielle de l'exposition, la robe était accompagnée d'un collier de perles et d'un bracelet à breloques en argent. Lorsque la photo avait été prise par la police dans la galerie C après la mort de Virginia Wakeling, le bracelet n'y était plus.

Grace regardait avec intérêt par-dessus l'épaule de Jerry. « Alors quand a-t-il disparu ? » demanda-t-elle.

Jerry haussa les épaules. « Cela peut être n'importe quand entre la date d'impression du livre et le soir du meurtre.

— Exact, nota Laurie, mais nous savons avec certitude que l'alarme qui protégeait les six robes a sonné quand le détecteur a décelé la présence d'un intrus. Si quelqu'un cherchait uniquement à s'emparer du bracelet, cela expliquerait pourquoi l'alarme s'est déclenchée au milieu de l'exposition, à condition toutefois que la représentation que j'ai des lieux soit exacte.

— Comment comptes-tu t'en assurer ? » demanda Jerry.

Laurie savait inutile de faire appel à Sean Duncan, le chef de la sécurité du musée. D'après le rapport rédigé par son service, « rien n'avait été déplacé » quand les agents avaient réagi à l'alarme.

« Je sais par où commencer, répondit-elle. Grace, peux-tu téléphoner à ton nouveau copain, M. Bennington, et voir s'il a le temps de venir nous parler ?

— C'est comme si c'était fait », dit Grace.

Quelques minutes plus tard, elle réapparut dans le bureau de Laurie. « Il revient ce soir de sa maison de campagne dans le Kent, mais il accepte volontiers de te rencontrer demain matin. Il sera ici à dix heures. »

Cela devrait faire l'affaire. En attendant, elle connaissait au moins une autre personne qui avait assisté au gala… et serait peut-être disponible.

Laurie envoya un texto à Charlotte sur son portable. *Papa emmène ce soir Timmy à un match des Knicks. Dîner sur le pouce chez moi ? Attention : j'ai l'intention de mettre ton cerveau à contribution.*

Elle sourit en voyant les points s'imprimer en bas de l'écran, indiquant que Charlotte était en train de répondre. *OK, mais ces jours-ci, suis pas sûre qu'il en sorte quelque chose d'utile. Sept heures ? J'apporte le vin.*

Laurie tapa un message final. *À tout de suite.*

Laurie poussa la barquette de poulet émincé accompagné de champignons vers Charlotte, qui refusa poliment. « Je ne peux pas avaler une bouchée de plus. Tu as commandé de quoi nourrir un régiment.

— Je voulais que tu puisses choisir », expliqua Laurie. Elles étaient assises à sa table de salle à manger, entourées de plats à emporter à peine entamés. « Timmy et moi allons manger des restes pendant des jours. »

Elle regarda Charlotte lui verser un verre de sauvignon blanc.

« À propos de Timmy, il doit être fou de joie d'aller avec son grand-père au match des Knicks, dit Charlotte.

— Il adore ça. Alex l'a gâté l'année dernière en lui offrant un abonnement. Ce soir, c'est un copain flic de papa qui leur a offert des places. Pas les premiers rangs comme avec Alex, mais c'est mieux que la télévision. »

Charlotte but une gorgée de vin et demanda doucement : « Au fait, tu as parlé à Alex depuis notre rendez-vous à la Brasserie Ruhlmann ? »

Laurie secoua la tête.

« Je pensais qu'il t'aurait appelée après sa nomination, ou que tu lui aurais téléphoné.

— Non, il ne m'a pas appelée, et je préfère rester silencieuse jusqu'à ce que je sois prête à faire le grand saut.

— Le grand saut ? » Charlotte haussa les sourcils. « Quoi ? Tu vas aller voir monsieur le juge à son bureau et lui chanter "O sole mio" ?

— Rien d'aussi ridicule, dit Laurie. Mais, oui, quelque chose… de décisif. De toute façon, c'est compliqué. »

Le silence s'installa entre elles pour la première fois depuis l'arrivée de Charlotte. « Donc, tu voudrais mettre mon cerveau à contribution ? reprit Charlotte en changeant de sujet.

— Oui, commençons tout de suite, tant que je n'ai pas bu trop de vin. » Laurie se leva de table et revint avec le catalogue officiel de l'exposition et le dossier de l'inspecteur Johnny Hon. « Te souviens-tu avec précision des robes des premières dames qui étaient exposées ? »

Charlotte poussa un soupir. « Je peux à peine me souvenir de ce que j'ai mangé au petit déjeuner depuis quelque temps. C'était il y a trois ans, et je n'avais fait qu'un tour rapide des lieux avant le gala. Que veux-tu savoir ? »

Laurie fit de la place sur la table pour ouvrir le livre et le dossier. Elle désigna à Charlotte les deux photos du mannequin portant la robe blanche de Jackie Kennedy.

« On pourrait encore la porter aujourd'hui, dit Charlotte. Je devrais peut-être m'en inspirer pour la nouvelle collection décontractée de Ladyform.

— Je t'en achèterai une, dit Laurie, mais pour l'instant voici ce qui m'intéresse davantage. » Elle lui fit remarquer l'absence du bracelet d'argent au moment de la mort de Virginia Wakeling. « J'imagine que tu ne te souviens pas si le bracelet était au bras du mannequin quand tu as traversé l'exposition ?

— Non, évidemment. Je ne l'aurais même pas remarqué.

— Et le plan de l'exposition ? » Laurie développa sa théorie selon laquelle la galerie C, où l'alarme s'était déclenchée, était située au milieu de l'exposition. « Voici les photos de la salle », dit-elle, poussant le dossier de Hon dans la direction de Charlotte.

Celle-ci les examina, puis s'inclina en arrière en fermant les yeux, comme si elle s'efforçait de raviver un souvenir dans sa mémoire. « Je me rappelle cette salle. La seule qui était longue et étroite. La plupart des autres étaient de grands carrés avec les robes disposées le long des quatre murs. Je les ai comparées parce que nous étions en train d'étudier la création de magasins éphémères chez Ladyform, et j'étudiais les deux possibilités. Tu as raison, cette galerie était pratiquement au milieu.

— Pour revenir au gala, il fallait donc traverser plusieurs salles ?

— Exact. »

Laurie était de plus en plus convaincue que le déclenchement de l'alarme cette nuit-là avait un rapport avec la disparition du bracelet. Ce qu'elle n'arrivait pas à comprendre, en revanche, c'était comment relier le tout au meurtre de Virginia Wakeling.

Elle pensait tout haut en rapportant le reste des barquettes de leur dîner dans la cuisine. « Il y a un élément troublant que je ne peux pas ignorer, dit-elle. L'inspecteur de la police criminelle m'a raconté que le bruit courait selon lequel l'agent de sécurité affecté à Virginia Wakeling ce soir-là – un certain Marco Nelson – avait été renvoyé parce qu'il était soupçonné de vol à la boutique du musée.

— Tu penses donc que cet individu pourrait avoir volé le bracelet pendant que tout le monde était occupé par le gala ?

— Qui sait.

— Mais en tant qu'agent de sécurité, n'était-il pas à même de désactiver le capteur ? Ou de l'éviter, voire de passer par-dessous ?

— Je ne sais pas trop. Il faudra que je demande au Met si les agents de sécurité connaissent l'emplacement des capteurs.

— Et quel serait le lien avec le meurtre de Virginia ? » demanda Charlotte.

Laurie secoua la tête. Charlotte n'avait pas le même esprit d'analyse qu'Alex, mais elle sentait qu'au fil de la conversation, ses pensées éparses commençaient à prendre forme. Les questions de Charlotte la poussaient à envisager d'éventuels rapports entre divers faits sans lien apparent.

« Si Virginia avait eu envie d'être seule, elle aurait pu se promener dans les galeries. Si elle avait trouvé Marco en train de voler des objets exposés, il pourrait l'avoir tuée avant qu'elle le dénonce. Mais alors comment l'aurait-il attirée sur la terrasse ?

— C'est peut-être pour cette raison qu'elle était bouleversée. Elle l'aurait surpris et serait montée sur la terrasse en se demandant quoi faire. »

Le raisonnement parut tordu aux yeux de Laurie. Elle n'imaginait pas qu'un membre du conseil d'administration puisse hésiter une seule seconde à dénoncer un gardien pris sur le fait. « Il a pu inventer une histoire pour gagner du temps, suggéra Laurie. Que le chef de la sécurité était sur la terrasse, par exemple. Mais ce que je sais, c'est que Marco Nelson est le seul témoin qui ait raconté que Virginia était bouleversée, qu'elle semblait s'être disputée avec quelqu'un. C'est lui qui a dit que Virginia voulait être seule.

— Et s'il ne dit pas la vérité…

— Cela pourrait tout changer. Mais si je l'appelle, je sais qu'il trouvera une excuse pour ne pas me parler. Même s'il est totalement innocent du meurtre de Virginia, il préférera éviter que son employeur actuel apprenne les rumeurs qui l'accusent de vol.

— Qui est son employeur actuel ?

— Une société de sécurité privée appelée Armstrong Firm. » Laurie avait cherché sur LinkedIn le profil de Marco après son entretien avec Sean Duncan.

« Je vais lui parler à ta place. Ladyform pourrait avoir besoin d'engager des vigiles pour le prochain défilé de mode. Il vient pour un entretien avec moi, tu y assistes et tu lui poses quelques questions.

— Je ne sais pas, Charlotte. La dernière fois que tu as essayé de m'aider, tu as failli y rester. »

Quelques mois auparavant, elles avaient toutes les deux failli se faire assassiner lorsque Charlotte s'était approchée trop près de la vérité dans l'une des enquêtes de Laurie.

« D'abord, si tu as fait quoi que ce soit, c'est venir à mon secours. Et ensuite, une entrevue dans mon

bureau ne me paraît pas une manière très risquée de te venir en aide. »

Laurie réfléchit à la proposition et conclut que c'était le moyen le plus simple de rencontrer Marco Nelson. « Parfait. Ça marche.

— Je m'en occupe dès demain, je t'enverrai un texto avec les détails. »

39

Depuis les tribunes du Madison Square Garden, Leo regardait les Knicks quitter le terrain, aussitôt remplacés par les pom-pom girls. Il posa une main protectrice sur l'épaule de son petit-fils tandis que Timmy gesticulait avec enthousiasme en direction des joueurs qui se dirigeaient au petit trot vers les vestiaires, pour se faire remonter le moral après un deuxième quart-temps difficile.

Bien que l'équipe ait connu une saison peu brillante, les billets devenaient de plus en plus difficiles à obtenir en raison de l'afflux de touristes à New York. Assister au match de ce soir avait été une très bonne surprise. Le chef adjoint de la police avait appelé Leo deux jours plus tôt pour lui dire qu'il devait se rendre à Washington pour une rencontre au ministère de la Justice et qu'il lui offrait ses deux places. Leo avait dû s'assurer auprès de son petit-fils – qui avait déjà un agenda de ministre – qu'il était libre, et avait accepté pour eux deux, avec joie.

Les sièges étaient corrects, mais nettement moins bien placés que ceux d'Alex Buckley ce soir-là. Timmy avait voulu attirer l'attention de celui-ci dès leur arrivée, mais Leo lui avait fait promettre d'attendre la fin du deuxième quart-temps. Dès que le buzzer avait retenti, Timmy s'était dressé sur la pointe des pieds pour lui faire de grands signes. Ils étaient au moins quarante rangées derrière lui. Quand Timmy cessa de s'agiter, Leo craignit que son petit-fils soit dépité qu'Alex ne l'ait pas vu. Au lieu de quoi Timmy lui demanda son téléphone portable et se mit à pianoter sur l'écran avec une dextérité qui laissa son grand-père pantois. L'instant d'après, Alex tournait la tête, explorant leur tribune du regard. Ses yeux brillèrent quand il les aperçut.

Leo le vit s'excuser auprès de ses invités, un couple âgé et une jeune femme probablement de l'âge de Laurie. Alex monta les marches quatre à quatre, un large sourire sur le visage, et Timmy courut se jeter dans ses bras.

« Est-ce que tu utilises toutes tes places ce soir ? demanda-t-il à Alex avec un sourire espiègle.

— Je crains que oui, mon garçon. Mes amis seraient un peu vexés si je leur demandais de changer de place. »

Il se tourna et vit le regard de Leo s'attarder sur ses invités. « Je suis avec un de mes collègues avocat pénaliste et sa femme, ainsi que leur fille qui est venue de Californie leur rendre visite pendant que son mari était en ville pour affaires. »

Cela ne faisait aucun doute pour Leo, Alex voulait à tout prix éviter qu'on prenne cette femme pour sa dernière conquête.

« Tu nous manques, Alex. » Timmy levait ses grands yeux bruns vers Alex. « Pourquoi tu ne viens plus nous voir ? »

Leo posa son bras sur les épaules de son petit-fils. « Tu étais peut-être en vacances, et les adultes ont beaucoup de travail à cette époque de l'année. Sans oublier qu'Alex a été nommé juge fédéral par le président des États-Unis. C'est un des plus grands honneurs auxquels un avocat puisse prétendre. Il est très occupé maintenant.

— Cool !

— Merci, pouffa Alex. Je pense que c'est le mot qui convient.

— Le seul ennui c'est que tu ne vas pas revenir dans l'émission de maman. Elle *peut pas blairer* Ryan Nichols.

— Ne parle pas comme ça, Timmy, le gronda Leo.

— Pardon. Quand tu seras juge, est-ce que je pourrai aller te voir au tribunal donner un coup de marteau, comme à la télé ?

— Bien sûr, mon petit gars.

— Et peut-être que tu pourrais venir à mon récital de trompette la semaine prochaine ? Je vais jouer le solo de "C Jam Blues" de Duke Ellington. »

Alex demanda conseil à Leo du regard. Leo savait qu'il mourait d'envie d'accepter l'invitation, mais il savait aussi quelle serait la réaction de Laurie s'il arrangeait une rencontre entre eux.

« On en reparlera plus tard, Timmy. Jerry, Grace et Charlotte ont tous demandé à venir, et je ne suis pas sûr qu'il y aura assez de places. »

En retournant auprès de ses invités, Alex sentit ses yeux s'embuer en songeant à la vitesse à laquelle Timmy grandissait. Il aurait volontiers donné tous ses billets de la saison de basket afin de pouvoir l'entendre s'attaquer à un air comme « C Jam Blues ». Il aurait voulu rester jusqu'à la fin du match avec Leo et Timmy. Et par-dessus tout, que Laurie fût là avec eux, juste pour pouvoir la revoir. Quand il imaginait sa vie avec eux trois, c'était comme s'ils formaient une vraie famille. Mais Laurie était sans doute heureuse sans lui. Elle avait déjà une famille, avec Timmy et Leo. Elle avait une brillante carrière et des amis qui seraient ravis d'entendre son fils jouer de la trompette. Sa vie était bien remplie sans lui. Il avait fait une terrible erreur. Il l'avait poussée trop loin dans ses retranchements, et maintenant il l'avait perdue.

40

Pelotonnée sur le canapé, une couverture sur les genoux, Laurie lisait le dernier roman de Karin Slaughter. Elle sursauta en entendant la clé tourner dans la serrure, et se retourna pour voir Leo et Timmy rentrer. Timmy était coiffé de ce qui lui sembla être une nouvelle casquette des Knicks.

Elle marqua sa page à contrecœur, en se consolant à l'idée qu'elle savourerait la suite avant de s'endormir.

« Je vais être obligée de vider les placards si tu rapportes un truc nouveau chaque fois que ton grand-père t'emmène à un match.

— Je n'y suis pour rien, rétorqua Leo. Il l'a achetée avec son argent de poche. »

Timmy alla directement au réfrigérateur dans la cuisine et revint avec un morceau de fromage et une pomme. Elle savait pertinemment qu'il avait déjà mangé au stade, mais son fils était un garçon qui grandissait à toute vitesse et qui était constamment affamé. Il se laissa tomber sur le canapé à côté d'elle.

« Maman, on a gagné ! Un panier à trois points dans les dernières secondes. Et on a vu Alex.

— Vraiment ? » Elle s'efforça de prendre un air détaché.

« Oui. On n'a pas pu s'asseoir à côté de lui parce qu'il y avait d'autres gens qui l'accompagnaient. Mais au moins on a pu lui parler à la pause.

— Qui l'accompagnait ? » Elle se mordit la langue d'avoir parlé si vite.

« Un avocat, sa femme et leur fille. » Timmy avait le don de se rappeler tous les détails d'une conversation.

« La fille était venue les voir depuis la Californie, ajouta Leo. Son mari avait des affaires à traiter ici. »

Elle hocha la tête. Message reçu.

« Est-ce qu'on peut inviter Alex à mon récital la semaine prochaine ? demanda Timmy plein d'impatience.

— Je lui ai dit que nous étions déjà cinq », s'empressa de préciser Leo. Il laissait à Laurie la possibilité de trancher. « Je n'étais pas sûr que nous puissions inviter une sixième personne. »

Laurie savait combien Alex serait heureux de constater les progrès de Timmy à la trompette ces deux derniers mois. C'était une occasion de lui faire signe. En outre, la soirée tournerait autour de Timmy, et pas autour d'eux. Mais elle ne voulait pas retomber dans ce cycle familier où ils se voyaient régulièrement sans jamais définir exactement ce qu'ils représentaient l'un pour l'autre. Elle se souvenait encore de la réponse d'Alex quand elle lui avait dit qu'elle désirait que les choses redeviennent comme avant leur affreuse dispute. « Et comment c'était exactement ? Que sommes-nous depuis que je ne suis plus le présentateur de ton émission ? Je suis celui qui regarde les matchs avec ton père, le copain de ton fils. Mais pour *toi*, qui suis-je ? »

Non, le jour où elle lui ferait signe, ce ne serait pas pour l'inviter à écouter un concert de son fils. Si elle lui tendait la main, il fallait qu'elle soit sûre d'elle-même. Il fallait qu'elle soit prête à lui ouvrir son cœur. Ce n'était pas une décision qu'elle pouvait prendre ce soir.

« Tu pourras inviter tout ton entourage quand tu seras un musicien célèbre, dit-elle à son fils. Pour le moment, je pense que notre petit groupe suffira. »

Elle termina son roman au lit. Quand elle eut fini, elle posa le livre sur la table de nuit puis chercha machinalement son alliance dans le tiroir et la glissa à son doigt avant de remonter la couverture jusqu'à son cou.

Elle ferma les yeux et essaya de dormir, mais elle ne pouvait chasser l'image d'Alex et ce qu'il lui avait dit la dernière fois qu'ils s'étaient parlé dans son salon. « Admets-le, Laurie, tu ne m'admireras jamais comme tu admirais Greg. Tu peux toujours continuer à essayer de sauter le pas. Tu ne le feras pas. Pas jusqu'à ce que tu aies trouvé l'homme idéal, ce qui arrivera naturellement. Sans effort. Mais nous deux ? Nous n'avons fait qu'essayer. »

Si elle avait pu revenir en arrière, elle l'aurait arrêté à ce moment-là et lui aurait dit à quel point il se trompait. Avec lui, elle savait qu'elle avait de nouveau trouvé l'homme qu'il lui fallait. Et il se trompait. Le véritable amour ne surgissait pas toujours naturellement, même si cela avait été le cas avec Greg. Et l'amour d'Alex pour elle était peut-être arrivé comme ça. Mais trouver une deuxième fois l'âme sœur a été plus difficile pour moi, pensa Laurie. Cela a pris du temps, et maintenant je l'ai peut-être perdu lui aussi. Elle souffrait de son absence depuis plus longtemps qu'elle ne voulait le reconnaître. Surtout, elle devait penser à Timmy. Il se souvenait à peine de son père. À présent, je ne peux pas le laisser s'attacher à un autre homme à moins qu'il ne soit là pour longtemps. Mais il était trop tard, l'attachement de Timmy pour Alex était déjà profond.

Non, Alex, tu avais tort de dire que les choses doivent arriver naturellement, se rebiffa-t-elle. Ce n'était pas un cadeau de me dire que tu me rendais ma liberté. Ce n'est pas aussi facile, pas pour moi. Cela demande des efforts, des efforts que je continue à faire bien que tu considères que tout cela est vain.

Elle se rassit dans son lit et retira son alliance, se forçant à la remettre à sa place dans le tiroir de la table de nuit.

Greg, tu m'étais si cher, pensa-t-elle. Je suis si heureuse d'avoir ton fils, qu'il soit à jamais une part de nous deux. Mais Greg, je me sens tellement seule. Je suis si seule depuis ce jour atroce.

Elle ferma les yeux, se revoyant soudain avec bonheur assise près d'Alex dans son appartement, son bras passé autour d'elle, devant un match des Giants avec Timmy et son propre père.

41

Le lendemain matin, Gerard Bennington se présenta aux studios Fisher Blake à dix heures précises, comme prévu. Sur les photos que Laurie avait trouvées sur internet, il semblait montrer une préférence pour les tenues excentriques, propres à attirer l'attention. Sur l'une d'elles, publiée par le magazine *New York*, il portait un kimono par-dessus un pantalon écossais rouge. Ce matin-là, il avait choisi un costume de tweed plutôt classique et une cravate à motif cachemire. Les seuls signes d'extravagance étaient une pochette bleu vif et jaune canari, et des lunettes géantes à monture bleue assorties. D'après internet, il avait cinquante et un ans et une vitalité d'adolescent.

Son interlocuteur n'était pas le seul à avoir fait un choix vestimentaire surprenant ce jour-là. Comme Grace introduisait Gerard Bennington dans son bureau, Laurie remarqua qu'elle portait un pull noir à col roulé et des boots rouges à talons de quinze centimètres. L'ancienne Grace était de retour.

Quand elle les quitta, Bennington parcourut la pièce du regard, l'air renfrogné. « Où sont les caméras ?

— Je suis navrée s'il y a un malentendu, monsieur Bennington. Il s'agit aujourd'hui d'une simple réunion d'information. Plus nous serons préparés, plus nous serons efficaces quand vous reviendrez le jour du tournage.

— Oh, votre délicieuse assistante a été très claire à ce sujet. Mais je pensais que nous nous trouvions dans un studio. Il n'y a donc aucune caméra ? Par exemple, supposez que je dise un truc incroyable que vous vouliez utiliser à l'écran ? »

Laurie s'aperçut alors que Gerard s'était déjà maquillé, prêt à être filmé. « C'est une excellente remarque, monsieur Bennington. Pourquoi ne faisons-nous pas cette réunion dans un de nos petits studios ? J'enregistrerai et nous aurons la possibilité d'utiliser la vidéo d'aujourd'hui si besoin est.

— Parfait. » Il prit la pose. « Dès qu'il est question de caméra, je suis partant. »

Quand l'unique caméra qui se trouvait dans le studio où ils s'étaient installés eut commencé à tourner, Laurie remercia Bennington de leur prêter les deux robes de l'exposition du Met.

« Je vous en prie. J'étais si heureux d'en faire profiter les autres. Les gens me demandent pourquoi je dépense tant d'argent pour ma collection privée – sans parler du prix du stockage dans les conditions requises. Mais je pense que c'est un moindre coût pour posséder un morceau d'histoire. Une robe n'a que peu de valeur comparée aux reliques de la guerre civile et autres objets historiques, et c'est tellement plus agréable à regarder. Tellement plus gai, aussi.

— Nous en prendrons grand soin pendant le tournage, lui assura Laurie.

— Je n'en doute pas, mais je dois vous prévenir que mes avocats ont vérifié que votre studio était bien assuré. »

Il ne laisse rien au hasard, pensa Laurie, et elle enchaîna : « Nous sommes certes très intéressés par les robes, mais il faut que je vous interroge à propos de ces deux photos. » Elle avait apporté les copies des photos en question. Elle lui montra celle de la robe de Jackie Kennedy que Jerry avait trouvée dans le catalogue officiel puis celle qui avait été prise après la mort de Virginia Wakeling.

« Monsieur Bennington, voudriez-vous comparer ces deux photos ? »

Il les examina, puis secoua la tête. « Elles sont identiques, me semble-t-il. »

Il ne remarqua pas la différence jusqu'à ce qu'elle signale l'absence du bracelet.

« Oh, mon Dieu ! s'exclama-t-il. On dirait qu'il s'agit d'un mystère, n'est-ce pas ?

— Aviez-vous également prêté le bracelet au musée ? Comme vous pouvez le voir, présent sur la photo du catalogue, il a disparu après la découverte du corps de Mme Wakeling.

— Lors de l'exposition, je n'étais pas chargé des accessoires. Mais je me souviens que c'était le genre de babiole que Jackie affectionnait. Très juvénile, à mon avis, mais simple et indémodable. »

La conversation ne menait nulle part. Laurie tenta une autre approche. « Vous souvenez-vous de l'endroit où vous vous trouviez quand vous avez appris la mort de Mme Wakeling ?

— Oh, parfaitement. J'étais dans le grand hall d'entrée, en train de m'extasier sur la robe que portait Iman. »

Laurie nota l'allusion au célébrissime modèle qui faisait carrière sous ce prénom unique.

« Versace avait créé pour elle cette tenue étonnante inspirée par Martha Washington, expliqua Bennington. Tellement d'avant-garde. De la taille d'un réfrigérateur. La pauvre chérie ne pouvait même pas s'asseoir à la table du dîner quand elle la portait – non pas qu'elle mange, bien sûr, mais tout de même. »

Laurie commençait à se féliciter d'enregistrer cet entretien. Ne serait-ce que parce que Jerry et Grace allaient se régaler quand ils le visionneraient. Elle se disait aussi que certaines des remarques de Bennington ne manquaient pas de piquant et viendraient ajouter du piment à l'émission. « Comment avez-vous appris la mort de Mme Wakeling ? lui demanda-t-elle.

— Comment aurais-je pu ne pas l'apprendre ? Un homme au bord de l'hystérie est arrivé en courant dans le hall et a crié : "Une femme est tombée du haut de la terrasse !" Un moment dramatique. Bien entendu, la moitié de l'assistance a cherché à s'enfuir du musée, comme s'il s'agissait d'un attentat ou je ne sais quoi. Mais la police a obligé toutes les personnes présentes à rester sur place jusqu'à ce qu'ils aient le contrôle de la situation, condamné la scène du crime et tutti quanti.

— Mais ils n'ont pas interrogé tout le monde, n'est-ce pas ?

218

— Dieu soit loué, non. Cela n'aurait pas été possible. Ils ne m'ont rien demandé, par exemple, parce que je ne savais rien. C'est seulement lorsque je suis sorti que mon amie Sarah Jessica m'a appris que c'était cette pauvre Virginia qui était tombée.

— Vous connaissiez donc Mme Wakeling personnellement ?

— Pas vraiment. Je l'avais rencontrée au gala de l'année précédente, et bien entendu elle était assez connue pour que je sache qui elle était. Mais nous ne nous retrouvions pas pour prendre le thé.

— Avez-vous su qu'une alarme s'était déclenchée dans la galerie, peu de temps avant la mort de Virginia Wakeling ? »

Une expression inquiète apparut sur le visage de Bennington. « Non, c'est la première fois que j'en entends parler. Pensez-vous que cela ait un rapport avec la disparition du bracelet ?

— Pour l'instant, ce n'est qu'une hypothèse.

— Une théorie tout à fait savoureuse ! s'écria-t-il. Je me demande si la disparition pourrait aussi être liée à la mort de Virginia... » Il se frotta les paumes l'une contre l'autre. « Je suis affreusement impatient d'apprendre ce que vous allez découvrir. Bien entendu, je présume que vous vous intéressez de près à Ivan. C'est inévitable.

— Vous le connaissez ?

— Je ne l'ai jamais rencontré. »

Laurie comprit que Bennington était le genre de personne à appeler tout le monde par son prénom, même des inconnus.

« Quelle histoire magnifique, ne trouvez-vous pas ? *Une veuve d'un certain âge sort avec son bel entraî-*

219

neur. Imaginez le scandale. Tout le monde sait que c'est lui le coupable. Franchement, qui voudrait du mal à une femme aussi délicieuse et généreuse ? Seulement, je ne veux pas paraître cynique, mais n'aurait-il pas mieux fait d'attendre qu'ils soient mariés ? Je ne suis pas sûr que ce type ait beaucoup de jugeote. »

Laurie le vit secouer vigoureusement la tête avant de s'exclamer : « Oh, c'est *épouvantable* ! Je vous en prie, n'utilisez rien de ce que je viens de dire dans votre émission. Promettez-le-moi ! Je ne voudrais pas qu'on puisse penser que je ne suis pas horrifié par ce qui est arrivé à cette pauvre Virginia. Parfois je suis mauvaise langue juste pour être drôle.

— Je comprends, lui assura Laurie.

— Quand arrive un événement pareil, vous vous rendez compte que même les riches et célèbres sont des gens comme vous et moi. Tout le monde a ses secrets. Personne n'est parfait. N'êtes-vous pas de mon avis ?

— Je l'ai souvent constaté dans ma profession, monsieur Bennington.

— Gerard, je vous en prie. Quoi qu'il en soit, regardez cette famille Wakeling exemplaire – ils sont intelligents, brillants, tous plus beaux les uns que les autres. Malgré tout, même eux se sont un peu chamaillés ce soir-là. »

Laurie se redressa en entendant cette dernière remarque. L'agent Marco Nelson avait dit que Virginia semblait bouleversée, comme si elle s'était disputée avec quelqu'un. Mais aucun des témoins ne l'avait vue se quereller durant la soirée.

« Virginia s'était disputée avec sa famille ? demanda-t-elle.

— Non, pas elle. Les fils. Enfin je crois qu'il n'y a qu'un fils. L'autre c'est le gendre. Je les ai vus dans la salle du temple peu de temps avant que tout le monde regagne sa place pour le dîner. Ils se tenaient légèrement à l'écart. Je ne pouvais pas entendre ce qu'ils disaient, mais de là où j'étais, je me rendais tout de même compte que la conversation était vive. Et puis j'ai vu la fille, Anna, s'apercevoir de leur présence alors qu'elle se dirigeait vers la table. Elle avait sûrement perçu comme moi la tension entre eux et elle s'est avancée dans leur direction. Toujours indiscret – excusez-moi, mais je reconnais volontiers que j'adore fouiner –, je me suis moi aussi approché, curieux de voir si quelque chose d'intéressant allait se passer. »

Il fit une pause, visiblement pour ménager son effet.

« Et ?

— Et rien. La déception. Elle leur a dit qu'ils s'étaient déjà suffisamment disputés pour la journée, et qu'ils feraient mieux de ne pas évoquer ce sujet aussi morbide en public.

— C'est la première fois que j'entends parler de ça.

— Je suis probablement le seul à l'avoir remarqué. La plupart des invités étaient occupés à lorgner les célébrités les plus en vue. J'aime bien observer les gens qui ne se croient pas observés. C'est tellement plus passionnant.

— Et en avez-vous parlé à la police ?

— Oh, Dieu du ciel, non. Si quelqu'un avait appelé les flics chaque fois que je me chamaillais avec mes six frères et sœurs, la police de New York aurait touché le jackpot en heures sup. »

Laurie n'avait rien appris de nouveau concernant le bracelet, mais le temps passé avec Gerard Bennington n'avait pas été gaspillé. Le soir où Virginia Wakeling avait été assassinée, son fils, Carter, et son gendre, Peter Browning, s'étaient disputés. Bennington avait entendu Anna qualifier le sujet de la conversation entre son mari et son frère de « morbide » – s'agissait-il d'une question aussi funèbre que celle du testament de la chef de famille ?

Il fallait absolument qu'elle retrouve l'agent chargé de la sécurité de Virginia durant la soirée. Après le départ de Bennington, elle envoya un court texto à Charlotte : *As-tu réussi à contacter Marco Nelson ?*

Son téléphone sonna dès qu'elle eut regagné son bureau. *C'est de la télépathie. Je viens juste de raccrocher. Il sera ici demain à neuf heures. J'espère que ça te va !*

Elle venait de répondre par l'affirmative quand Ryan Nichols frappa à sa porte ouverte. « On peut se mettre en route maintenant ? »

Elle regarda sa montre. Il n'était que onze heures trente. Le départ avait été fixé à une heure pour aller interviewer Penny Rawling.

« Nous avons rendez-vous dans seulement deux heures.

— Je sais, mais son appartement n'est qu'à deux blocs de la Locanda Verde. J'ai réservé pour déjeuner. Envie de m'accompagner ? »

La première réaction de Laurie fut de refuser, s'épargnant par la même occasion de faire le trajet en voiture avec Ryan. Mais la cuisine de la Locanda Verde était exquise, et une réservation dans le restaurant de Robert

De Niro était presque aussi difficile à obtenir que des billets pour la comédie musicale *Hamilton*.

« Absolument », dit-elle en prenant son manteau.

Que cela lui plaise ou non, elle devait tirer le meilleur de la présence de Ryan. Quoi qu'il arrive entre elle et Alex à l'avenir, il était clair qu'il ne reprendrait jamais sa place dans son émission.

42

En arrivant à l'adresse indiquée par Penny Rawling, Laurie et Ryan s'étonnèrent de se trouver devant un de ces immeubles ultra-modernes qui poussaient comme des champignons le long des étroites rues pavées de Tribeca. Penny avait à peine trente ans. Elle avait dû faire du chemin depuis qu'elle avait été l'assistante personnelle de Virginia Wakeling, seulement trois ans auparavant.

« La vue est extraordinaire », dit Laurie une fois les présentations faites. L'appartement de Penny était vaste, avec de hauts plafonds et une baie vitrée qui occupait tout un mur et donnait sur l'Hudson. La neige soulignait encore les berges du fleuve le long de la rive du New Jersey.

« Les couchers de soleil en été depuis la terrasse sont les plus beaux du monde, dit Penny. Mais je vous en prie, asseyez-vous. Ryan, j'ignorais que vous viendriez aussi. Je vous ai vu à la télévision. Ce que vous faites est passionnant. »

Laurie était habituée à ce que ses interlocuteurs se méprennent sur le rôle que jouaient les divers intervenants de son émission. Tous partaient du principe que le personnage qu'ils voyaient à l'écran était celui qui faisait l'essentiel du travail. Elle avait souvent tourné ce malentendu à son avantage. Les gens avaient tendance à la sous-estimer, se fiant à son sourire amical et à son comportement réservé.

Elle n'avait jamais vu aucune photo de Penny, et elle la découvrait. Des cheveux bruns, presque noirs, des yeux d'un bleu très clair et un teint pâle. Une vraie beauté. Laurie se demanda de nouveau quel était le mystérieux petit ami qu'Ivan lui prêtait.

Ryan remercia Penny de leur consacrer une partie de son après-midi. « Dans quel secteur nous avez-vous dit que vous travailliez ? » demanda-t-il.

Laurie pensa que Ryan se posait la même question qu'elle : comment Penny pouvait-elle se payer un tel appartement.

« Dans l'immobilier, dit Penny vaguement.

— Une activité sûrement lucrative, dit Ryan. Nous ne voulons pas vous faire perdre votre temps, venons-en directement aux faits. Nous avons parlé longuement avec Ivan Gray, et pour nous un certain nombre de points ne collent pas. La police a eu le sentiment que vous nourrissiez des soupçons sur les motifs de sa relation avec Mme Wakeling. De son côté, Ivan affirme que vous les aviez souvent vus ensemble et que vous pouvez témoigner de leur amour. Quelle version est la bonne ?

— Les deux, en fait. Est-ce que je crois qu'Ivan se serait intéressé à une femme de vingt et un ans de plus que lui si elle n'avait été qu'une bourgeoise lambda ? La réponse est non. Je pense qu'il avait certains critères et que dans ces critères la sécurité financière figurait en bonne place. Mais je pense aussi qu'ils s'aimaient vraiment.

— Vous parlez de l'amour comme s'il s'agissait d'une… transaction, fit observer Ryan.

— Bon, vous pouvez aussi considérer les choses sous un autre angle : j'ai beaucoup d'amies qui ne veulent sortir qu'avec des hommes pourvus d'une bonne situation et de revenus stables. Est-ce vraiment différent ? Si Virginia avait été un homme, et Ivan une femme, personne ne se serait offusqué de leur relation.

— Mais ce n'était pas la manière dont la famille Wakeling considérait la situation », dit Laurie.

Penny secoua la tête. « Ses enfants lui reprochaient tous de se comporter de façon ridicule. Je n'oublierai jamais le jour où Anna a dit à sa mère : "C'est papa qui a gagné cet argent. Il serait anéanti s'il voyait la manière dont tu le dépenses." »

Penny soupira. « J'ai été tentée de m'interposer et de rappeler à Anna qu'elle-même était née avec une cuillère en argent dans la bouche, mais Virginia n'avait pas besoin d'aide pour se défendre. Elle a répliqué : "Anna, tu as été témoin des colères qui pouvaient s'emparer de ton père. Pour une fois, enfin, je prends du bon temps. C'est ma deuxième chance dans la vie." J'ai cru qu'Anna allait quitter la pièce. Cela s'est transformé en une énorme dispute : Anna avait-elle le droit de juger les choix de sa mère ? On aurait dit qu'elles avaient toutes les deux oublié ma présence. »

Jusque-là, Penny n'avait rien dit qui contredise directement ses déclarations à la police, mais elle donnait une image plus nuancée de la famille Wakeling qu'elle ne l'avait fait à l'époque. « Avez-vous mentionné cette dispute précise à la police ? »

Penny leva les yeux au plafond comme pour chercher dans ses souvenirs. « Je ne sais plus. Sans doute que non. Voyez-vous, Virginia venait de mourir. Il n'y avait aucune raison de laver leur linge sale en public.

— Sauf si cela avait un rapport avec le meurtre.

— Mais je suis sûre que ce n'est pas le cas. Les Wakeling se disputaient comme toutes les familles – peut-être davantage à cause des affaires en jeu – mais ils étaient d'une loyauté extrême les uns envers les autres. Qu'Anna ou Carter ait pu s'attaquer à leur mère est tout simplement inimaginable pour moi.

— Et pourtant vous l'imaginez quand il s'agit d'Ivan ?

— Non, pas vraiment. Mais selon les statistiques, les maris et les amants ne sont-ils pas les habituels suspects ? Et il a reçu tout cet argent pour son club.

— Si l'on en croit Ivan, Virginia le lui avait donné à titre d'investissement, dit Ryan. N'est-ce pas une chose dont vous deviez être informée ?

— Non. Je n'étais pas concernée par les questions financières, sauf pour ce qui concernait les menues emplettes ou les notes du teinturier.

— Et ses projets de mariage ? demanda Laurie. Ses enfants ont l'air de croire qu'elle ne serait jamais passée à l'acte. »

La réponse de Penny fut immédiate. « Je crois au contraire qu'elle allait l'épouser. À mon avis, elle attendait juste un peu, espérant qu'Anna et Carter finiraient par changer d'avis, accepter Ivan et leur souhaiter tout le bonheur du monde. »

Penny parut songeuse, comme si elle hésitait à leur en dire plus.

« Il y a peut-être des choses que vous avez tues il y a trois ans, par loyauté envers votre patronne. C'est compréhensible, dit Laurie. Mais aujourd'hui que le crime est toujours inexpliqué, il importe que nous sachions tout.

— Eh bien, je sais qu'elle envisageait de modifier son testament », confia Penny avec hésitation.

C'était la première fois que quelqu'un d'autre qu'Ivan mentionnait cette possibilité.

« Et pourquoi cette supposition ? intervint aussitôt Ryan.

— Je trouvais des bouts de papier roulés en boule dans sa corbeille. Des noms de diverses personnes et d'associations de bienfaisance y étaient inscrits, avec leurs numéros de téléphone. À côté de presque chaque nom figurait une somme en dollars – cinquante mille dollars par-ci, deux cent mille par-là. Mais Ivan était généralement en tête de liste, avec un pourcentage plutôt qu'une somme – une moitié, un tiers ou un quart. C'est cela qui m'a fait penser qu'elle avait l'intention de se marier avec lui.

— Vous n'auriez pas conservé ces notes par hasard ? demanda Laurie.

— Non.

— Et qu'en était-il de la famille de Virginia dans tout ça ? » demanda Ryan.

Penny fronça les sourcils. « Ils étaient pratiquement déshérités. Je me souviens que dans une version il leur restait deux cent mille dollars, mais dans une autre seulement cinquante mille. C'est beaucoup d'argent pour la plupart des individus – et je présume qu'elle leur aurait laissé la société – mais c'était une goutte d'eau pour des gens comme Anna et Carter. Il semble qu'elle projetait de laisser la plus grande partie de sa fortune, en dehors de la société, à des organisations caritatives. Les enfants auraient à s'occuper seuls de la bonne marche de la société. »

Cela correspondait à ce qu'avait dit Ivan. « Pourquoi n'en avez-vous rien dit à personne ? » demanda Laurie.

Pour la première fois, Penny détourna les yeux et regarda sa montre avant de répondre : « Je n'y ai pas attaché plus d'importance que ça à l'époque. Juste des petites notes roulées en boule dans la corbeille – comme je gribouille des projets de vacances que je ne prendrai probablement jamais. Si elle s'était décidée, elle aurait fait appel à un avocat pour officialiser sa décision. Et je ne voulais pas poser de problème à la famille – au cas où, par exemple, Ivan déciderait de contester le testament ou autre chose. Je voulais qu'ils reçoivent ce qui était leur dû. »

Laurie soupçonna que Penny désirait éviter qu'on s'aperçoive qu'elle avait subrepticement jeté un œil sur les notes personnelles de sa patronne, mais Ryan avait une autre hypothèse.

« Et que vous-même receviez ce qui vous était dû ? demanda-t-il. Vous avez hérité vous aussi, n'est-ce pas ? »

Laurie aurait souhaité que Ryan ne s'avance pas si vite en territoire hostile. Jusqu'à présent, Penny avait été extrêmement coopérative.

« Soixante-quinze mille dollars, confirma-t-elle. J'en ai été très reconnaissante. C'était ce que je gagnais en deux ans à mon poste d'assistante.

— Et dans ces petites notes que vous avez trouvées, avait-elle également l'intention de diminuer votre part ? demanda-t-il, enfonçant le coin.

— Je… je ne me souviens pas.

— Pourtant, vous vous souvenez d'un tas de détails concernant ce qui revenait à Ivan et aux enfants de Virginia », dit-il, provocateur.

Laurie l'interrompit, sentant que Penny n'était pas loin de leur demander de partir. À la regarder, il était évident qu'elle n'avait pas la force physique nécessaire pour avoir poussé Virginia du haut de la terrasse toute seule. Si elle était impliquée dans le meurtre – un grand *si* pour le moment –, il lui avait fallu l'aide d'un complice.

« Vous souvenez-vous de Tiffany Simon ? demanda Laurie. Elle était venue au gala avec Tom Wakeling, le neveu de Virginia.

— Ah oui, dit Penny, fouillant dans sa mémoire. Virginia disait qu'elle était bien le genre de cette moitié-là de la famille. Elle avait pris le parti de Bob au moment où il s'était séparé de son frère, Kenneth, et elle ne débordait d'amour ni pour lui ni pour son fils. Elle disait que son neveu était comme son père – il voulait tous les avantages sans avoir à travailler.

— Le neveu en question travaille chez Wakeling à présent. Il y réussit très bien d'après ce qu'on m'a dit », dit Laurie.

Un éclair de contrariété traversa le regard de Penny. « C'est du népotisme ! Il a probablement eu ses cousins à l'usure une fois que Bob et Virginia n'étaient plus là.

— Son amie semblait penser que vous sortiez avec quelqu'un à l'époque – une personne qui assistait aussi au gala ? »

Penny secoua la tête et une fois encore son regard se porta sur sa montre.

« Peut-être même un proche de Virginia ? avança Laurie.

— C'est ridicule. Les amis de Virginia avaient trois fois mon âge.

— Pas son fils, Carter, dit Ryan. Ni son gendre, Peter Browning.

— Vous êtes en train d'insinuer que j'avais une liaison avec le mari d'Anna ? Voilà qui me récompense d'avoir voulu vous aider, dit-elle d'un ton sarcastique.

— Nous ne voulons écarter aucune possibilité, expliqua Laurie. Ivan a aussi déclaré vous avoir entendue parler au téléphone avec votre petit ami. Si nous connaissions l'identité de cette personne, nous pourrions nous assurer que cet appel téléphonique n'avait aucun rapport avec le meurtre de Virginia. Nous sommes obligés d'explorer la moindre des pistes. »

Penny s'était levée à présent et se dirigeait vers la porte. « Veuillez m'excuser mais j'ai un emploi du temps serré, et je crains de devoir retourner travailler. »

Laurie fit une dernière tentative. « Je suis désolée de vous avoir froissée. J'ai juste besoin de savoir. Avez-vous parlé à Anna, Carter ou Peter – ou à quiconque – de ces notes que vous avez trouvées ? S'ils savaient que Mme Wakeling allait modifier son testament… »

Une expression de panique se peignit sur le visage de Penny, et elle sembla tout à coup encore plus pressée de mettre fin à la conversation. « Je vous ai dit tout ce que je savais. Bonne chance pour votre émission. Nous en resterons là. »

43

En regagnant le studio en voiture, Laurie et Ryan firent le bilan de leur entretien avec Penny.

« Avez-vous remarqué le nombre de fois où elle a regardé sa montre ? dit Ryan. Elle attendait quelqu'un qu'elle ne voulait pas que nous croisions. »

Laurie s'était fait la même réflexion.

« Et comment a-t-elle pu s'offrir cet appartement ? demanda Ryan. Les soixante-quinze mille dollars de Virginia n'auraient même pas suffi à constituer l'apport initial. Même si elle est locataire, le loyer atteint au moins six mille dollars par mois. Et quand je l'ai questionnée sur son travail, sa réponse a été plus que vague. L'immobilier. Comme si nous disions que nous travaillons dans "les médias". »

Laurie s'efforça de ne pas s'irriter de cette intrusion sur ses plates-bandes. « Elle a peut-être emménagé avec un petit ami, suggéra-t-elle. Elle n'est pas mariée, elle ne porte pas d'alliance. » Elle chercha l'adresse de Penny dans son iPhone, espérant y trouver des informations sur le montant du loyer ou sur le propriétaire.

« Voilà, j'ai résolu une partie du mystère, annonça-t-elle en brandissant son téléphone. L'appartement ? Il est présenté sur le net avec la mention "Réservé avec une option". Le prix demandé est de quatre millions exactement. »

Ryan émit un sifflement. « Donc, Penny a reçu bien plus que les soixante-quinze mille dollars de la chère Virginia.

— Pas du tout. J'ai sous les yeux les coordonnées de l'agent immobilier. Elle se nomme Hannah Perkins, et communique son numéro de téléphone de bureau, celui de son portable et son adresse e-mail. Au cas où l'on n'arriverait pas à la joindre, elle indique les coordonnées de son assistante. Devinez le nom de cette dernière ?

— Penny ?

— Exact. Pas de nom de famille, mais le numéro de téléphone correspond.

— Ce n'est donc même pas son appartement mais celui d'un client ? Pourquoi vouloir nous duper ainsi ? »

Laurie réfléchit, essayant de se mettre à la place de Penny. « Par orgueil. Elle ne veut pas que nous sachions que sa situation n'est pas meilleure aujourd'hui qu'il y a trois ans.

— J'ai remarqué qu'elle a eu l'air particulièrement agacée quand vous lui avez dit que le neveu, Tom, occupait un bon poste chez Wakeling à présent.

— En effet.

— Si elle a découvert que Virginia avait l'intention de l'exclure du testament au lieu de lui offrir le genre de job auquel elle estimait avoir droit, peut-être a-t-elle été furieuse au point de... »

Laurie secoua la tête. « Non, ce n'est pas comme ça que je vois les choses. Soixante-quinze mille dollars est une somme, mais qui ne transforme pas votre existence. Et la mort de Virginia signifiait qu'elle n'aurait plus de travail. Et qu'elle se fermerait les portes d'un monde dont elle voulait désespérément faire partie. Je doute que sa patronne actuelle l'emmène au gala du Met, par exemple. Si elle ment...

— Il est évident qu'elle ment », asséna Ryan.

Une fois de plus, Laurie dut lui donner raison. « Ivan avait l'impression que Penny cachait l'existence d'un homme dans sa vie. Et, de son côté, Tiffany Simon pensait que Penny avait jeté son dévolu sur quelqu'un de la famille. Tout concorde. Si Penny voyait en secret Carter ou Peter, elle a pu évoquer la découverte de ces notes dans la corbeille sans penser aux conséquences dramatiques. Elle a eu l'air effrayée quand j'ai mentionné cette possibilité. Je pense qu'elle n'a sincèrement jamais imaginé que la famille pouvait être impliquée.

— Si c'est le cas, alors Penny est en quelque sorte responsable de la mort de Virginia, tout ça parce qu'elle a fouillé dans une corbeille à papier. Si seulement nous savions exactement ce qui était griffonné sur ces notes !

— Ce que nous savons en revanche, c'est ce que Virginia a écrit dans son testament, dit Laurie.

— Exact. J'en ai vu une copie dans ce gros dossier que vous avez obtenu de la police. »

Irritée, Laurie rectifia. « Ce que j'essaye de dire est que le testament était le sien, rédigé uniquement selon ses volontés, peu de temps après la mort de son mari. » Les yeux de Laurie se voilèrent. Elle se souvenait d'avoir elle-même réécrit son testament plus d'un an après la mort de Greg. Un rappel supplémentaire de son absence définitive. Son père lui avait dit avoir ressenti la même peine lorsque son avocat l'avait poussé à modifier les termes du sien lorsque sa femme était décédée.

Ryan suivait le fil des pensées de Laurie. « Le testament rédigé du vivant de Robert Wakeling reflétait probablement leur volonté commune, au cas où ils disparaîtraient tous les deux en même temps.

— Il faudrait le comparer au testament de Virginia. C'est peu probable, mais nous saurions alors si elle l'a révisé et dans quelle mesure.

— Bonne idée.

— Je n'ai pas très envie d'appeler les Wakeling pour leur demander une copie, dit Laurie.

— Ce n'est pas un problème. Je contacte le tribunal des successions dès que nous serons arrivés au bureau. Les documents sont accessibles au public aussitôt que la succession est en cours d'homologation.

— Vous pouvez vous en occuper ? » Elle aurait cru que Ryan rechignerait à régler ce genre de détail.

« C'est comme si c'était fait. On travaille en équipe, non ? »

De retour au studio, ils faillirent percuter Brett Young au moment où ils sortaient de l'ascenseur. Il portait un mini-sac de golf d'où dépassaient trois clubs. Laurie savait que Brett, outre ses séjours de golf en hiver à Scottsdale et aux Bahamas, prenait des leçons en salle aux Chelsea Piers pour affiner son swing.

« On dirait que la séance va être courte aujourd'hui », dit Ryan, bloquant d'une main la porte de l'ascenseur tout en s'adressant au boss.

Laurie se demanda comment Ryan pouvait arriver à cette conclusion rien qu'en observant l'attirail de Brett, mais elle supposa que c'était lié au fait qu'aucun de ses clubs n'était affublé de ces jolies chaussettes fantaisie qu'il utilisait parfois pour les protéger.

« Quelques bunkers, approches et greens. »

Il aurait aussi bien pu parler javanais en ce qui la concernait, mais elle n'ignorait pas que Ryan était un des partenaires attitrés de Brett. « Moi aussi je devrais travailler mon handicap sur le green, dit Ryan.

— Allons-y, alors », dit Brett, faisant signe à Ryan d'entrer dans l'ascenseur.

Ryan fit mine de le suivre, puis s'arrêta net. « Je dois trouver un document pour notre émission, dit-il.

— Laurie peut s'en charger. N'est-ce pas, championne ? » Les portes de l'ascenseur commençaient à vibrer, mais Brett resta fermement planté pour les bloquer.

Muette, elle regarda Ryan s'avancer du côté de Brett.

« Au passage, ajouta Brett, nous avons dû annuler notre émission spéciale Saint-Valentin parce que Brandon et Lani annoncent demain leur divorce dans *People*. Oups. »

Laurie reconnut les noms de deux pseudo-vedettes de téléréalité qui s'étaient mariées à peine deux ans plus tôt après s'être liées au cours d'une des multiples émissions de rencontres du studio. « J'ai programmé à la place votre nouvelle émission. "Quand l'amour se révèle fatal" – j'ai pensé que ce pourrait être un bon titre », lança-t-il lorsque les portes finirent par se refermer.

Quand Laurie regagna enfin son bureau, elle se mit à chercher comment obtenir la copie d'un testament déposé au tribunal, puis décida qu'il était hors de question que ce soit la championne qui s'en charge. Elle décrocha son téléphone et laissa un message à Ryan, lui rappelant qu'il s'était porté volontaire pour cette tâche. Que pouvait bien leur apporter l'analyse du testament des Wakeling, vieux de plus de huit ans ? Elle n'allait pas prendre du retard en s'infligeant une mission qui incombait à Ryan, surtout maintenant que son grand copain Brett avait arbitrairement fixé une date.

Elle avait à s'occuper de choses sérieuses.

44

Margaret Lawson, l'acheteuse de l'appartement de Tribeca que Penny avait essayé de faire passer pour le sien, arriva plus tôt que prévu, cinq minutes à peine après le départ de Ryan et Laurie.

Remerciant le ciel de ne pas avoir été surprise en flagrant délit de mensonge, Penny attendit patiemment pendant que son acheteuse dressait la liste des améliorations qu'elle avait l'intention de faire réaliser par son décorateur.

« Ne vous précipitez pas, lui assura Penny. Comme le disait ma mère, chaque chose en son temps.

— Étant donné le prix qu'il demande, je veux être sûre que ce type ait tout compris parfaitement », dit Margaret Lawson avec détermination.

Penny essaya de repousser une bouffée de jalousie. Margaret Lawson n'avait que cinq ans de plus qu'elle, mais elle était déjà une banquière accomplie. Non seulement elle avait les moyens d'acheter cet appartement, mais aussi de refaire entièrement les jolies salles de bains en accord avec ses goûts. Un jour, se promit-elle, j'aurai un appartement aussi beau que celui-là, et une maison sur la plage à East Hampton.

Quand elle avait appelé la productrice de *Suspicion*, elle croyait n'avoir rien d'intéressant à dire. Elle l'avait fait dans la seule intention de passer à la télévision, avec la mention « Penny Rawling, agent immobilier à New York » en bas de l'écran. Elle s'était promis d'apporter pour l'occasion un soin tout particulier à son apparence et à sa diction. Elle parlerait avec reconnaissance de tout ce qu'elle avait appris auprès de la famille Wakeling et de la confiance que Virginia lui avait témoignée. Elle donnerait l'impression d'être le genre de personne qu'on invite au gala du Met, de faire partie de ces professionnels auxquels les gens fortunés pouvaient confier la vente d'un bien.

Et le fait que *lui* ne veuille pas qu'elle parle à la productrice avait été un aiguillon supplémentaire. Elle n'arrivait toujours pas à croire qu'il ait eu le culot de l'appeler après presque trois ans, uniquement pour faire pression sur elle. Après la façon dont il l'avait larguée, il était bien la dernière personne à pouvoir lui demander la moindre faveur.

Mais l'entretien avec la productrice ne s'était pas passé comme prévu. Elle pensait qu'il s'agirait seulement de répondre à quelques questions au sujet d'Ivan et de la réception du Met. Elle ne s'attendait pas à ce qu'on l'interroge sur elle, et encore moins sur sa relation avec *lui*. Peut-être aurait-elle dû dire simplement la vérité, mais cela aurait ruiné l'image qu'elle cherchait à donner d'elle. Elle voulait qu'on la voie comme « Penny Rawling, agent immobilier de renom », pas comme une femme qui s'était fait larguer par le type avec qui elle sortait à l'insu de sa patronne.

Qu'est-ce qu'il y avait de mal à nier cette relation, puisqu'elle n'avait absolument rien à voir avec le meurtre de la pauvre Virginia ? Mais ils avaient insisté pour obtenir des réponses – à propos de son petit ami, de la famille, des fragments de papier dans la corbeille.

Penny ne cessait de repasser dans son esprit la question finale qu'avait posée Laurie Moran : « Avez-vous parlé à Anna, Carter ou Peter – ou à quiconque – de ces notes que vous avez trouvées ? S'ils savaient que Mme Wakeling allait modifier son testament... »

Lorsque Margaret Lawson eut fini d'énumérer ses projets de rénovation, Penny retrouva sur son portable le numéro qu'elle cherchait. Il était resté inscrit sur la liste des appels entrants de la semaine passée.

Il répondit au bout de deux sonneries. « Je suis surpris de t'entendre. Tout va bien ?

— Les producteurs de cette émission m'ont contactée, comme tu l'avais prévu. » Elle n'avait aucune raison de lui dire que c'était elle qui les avait appelés.

— Je t'ai bien expliqué que tu n'avais pas à leur parler.

— Tu as peur de ce que je pourrais leur dire ?

— Bien sûr que non, dit-il. C'est seulement... que personne n'était au courant à notre sujet. Tu ne crois pas que cela pourrait tout compliquer ? »

Elle sentit remonter toute son ancienne rancœur. Bien sûr que personne n'était au courant. Il lui avait interdit d'en parler, à qui que ce soit, prétendant que cela compliquerait non seulement sa situation d'assistante auprès de Virginia, mais aussi les relations entre les membres de la famille, et que sa situation à lui était déjà assez délicate comme ça. Mais tous ces obstacles qu'il invoquait n'étaient en réalité que des prétextes. La vérité, c'était qu'il avait honte d'elle. Elle avait pensé qu'après l'avoir vue se mêler sans difficulté aux invités triés sur le volet qui assistaient à la réception du Met, il la verrait sous un jour différent. Il la considérerait, enfin, comme une égale.

Mais il l'avait ignorée durant toute la soirée, et puis Virginia était morte, et les choses avaient empiré. Elle ne comptait tout simplement pas pour lui.

« Est-ce la seule chose que tu caches ? lui demanda-t-elle. Notre relation ?

— Je ne cache rien.

— Je t'ai parlé de ces notes que j'avais trouvées, y compris celles qui concernaient son testament. »

Il y eut un long silence à l'autre bout de la ligne. Elle vérifia son écran pour s'assurer qu'ils n'avaient pas été coupés.

« Je ne vois pas de quoi tu parles, Penny. »

Était-il sérieux ? Allait-il vraiment le nier ? « Quoi ? Tu crois que je suis en train de t'enregistrer ou je ne sais quoi d'autre ? Mon Dieu. Par pitié, dis-moi que ce n'est pas toi. Tu l'aurais tuée à cause de ces notes ?

— Sauf ton respect, répliqua-t-il, j'ai l'impression d'entendre une folle. Si tu racontes ces divagations rocambolesques aux gens de cette émission, je leur dirai qu'Ivan voulait te renvoyer parce que tu n'en fichais pas une. Qu'en guise de boulot, tu ne pensais qu'à me mettre le grappin dessus. Que ça n'avait pas marché, que nous étions sortis ensemble deux ou trois fois et que tu avais développé une véritable obsession à mon égard. C'est ça que tu veux ?

— Tu me menaces ?

— Je ne dis que la vérité. Je pourrais te poursuivre pour diffamation et te traîner devant les tribunaux. Tu devrais voir un psy, Penny. Tu es complètement malade ! »

La communication fut interrompue. Penny contempla l'écran, se demandant s'il y avait au monde quelqu'un à qui elle puisse faire confiance.

45

Le lendemain matin à neuf heures, Laurie attendait avec Charlotte dans une salle du siège social de
Ladyform l'arrivée de l'ancien agent de sécurité du
Met, Marco Nelson. Quand il entra, Charlotte lui indiqua qu'elle était la directrice du bureau de New York
et présenta Laurie simplement par son prénom. Marco
mesurait environ un mètre quatre-vingt-cinq et ne pesait
pas moins de quatre-vingt-dix kilos. Son costume gris
foncé bien coupé soulignait sa carrure athlétique. Il
n'était pas aussi imposant qu'Ivan, mais certainement
assez puissant pour être capable de précipiter Virginia
du haut d'une terrasse.

Charlotte commença par résumer à son intention ce
que Ladyform recherchait en matière de sécurité : un
technicien chargé d'analyser leur système d'information pour les protéger des hackers et autres cybercrimi-
nels, et d'assurer en même temps la sécurité pendant
les défilés de mode ou autres événements professionnels. Marco avait apporté des prospectus vantant sur
papier glacé les divers services fournis par sa société,
le Groupe Armstrong.

« Armstrong étant… ? » demanda Charlotte.

Marco sourit. « Il n'y a pas d'Armstrong. Le nom paraissait plus adapté à la sécurité que "Groupe Nelson".

— Vous êtes donc le patron de l'affaire ? demanda Charlotte.

— En théorie, oui, mais nous travaillons en équipe.

— J'ai eu votre nom par un de vos anciens collègues du musée, dit-elle. Sean Duncan.

— Sean, un type épatant. Il était numéro deux quand je travaillais là-bas, mais il a mérité sa promotion. C'est un de vos amis ?

— Non. En fait, c'est Laurie qui l'a rencontré lors d'une autre affaire, qui concerne le musée. »

Laurie saisit l'occasion qui lui était offerte pour intervenir à son tour. « Sean semblait penser que c'était un job rêvé pour un agent de sécurité. Pourquoi l'avez-vous quitté ?

— Sincèrement ? Je gagnerais beaucoup plus d'argent à assurer la sécurité de vos défilés de mode que celle d'un musée. Même en vous faisant un prix.

— C'était donc sans rapport avec l'enquête sur les vols de votre petite amie dans la boutique du musée ? »

Marco parut agacé par cette question, tout en semblant admettre qu'elle faisait partie du processus habituel de sélection de la part d'un client potentiel. « C'est quelqu'un du musée qui vous a raconté ça ? C'est complètement absurde, et je suis poli. Je suis parti pour une seule et unique raison : j'avais besoin de gagner plus d'argent.

— Votre amie n'a donc commis aucun vol ? » demanda Laurie.

Nelson fit une grimace, voyant probablement ses chances d'attirer un nouveau client passer à la trappe. « Malheureusement si. Mais je ne m'en doutais pas. Si elle le faisait les soirs où je travaillais, c'est probablement parce qu'elle pensait que je me montrerais indulgent si je la prenais sur le fait – ce qui ne s'est pas produit. Elle avait un compartiment secret dans son sac. Peut-être aurais-je dû être plus vigilant mais le règlement stipulait une rapide vérification visuelle des affaires personnelles des employés. Si je m'étais mis à fouiller et ouvrir les pochettes intérieures des sacs, j'aurais violé nos propres procédures. Personne ne m'aurait accusé si nous n'étions pas sortis ensemble. J'ai donc pris un nouveau job, et me suis fixé de nouvelles règles : pas d'aventures sentimentales au travail. » Il conclut par un petit rire.

Laurie reconnut que son explication en valait une autre étant donné les circonstances.

« En réalité, monsieur Nelson, je ne travaille pas pour Ladyform, dit-elle. Je suis la productrice de *Suspicion*. Si j'ai rencontré Sean Duncan, c'est à cause du meurtre de Virginia Wakeling. »

Comprenant le véritable motif de la réunion, il secoua la tête. « C'est franchement malhonnête de m'avoir attiré ici sous un faux prétexte. »

Il s'apprêtait à se lever, mais Charlotte l'arrêta. « J'ai réellement besoin de personnel de sécurité. Et j'ai été impressionnée par votre présentation, ainsi que par votre explication de ce qui s'est passé au musée. »

Nelson se rassit aussitôt.

« Une femme a été tuée, poursuivit Laurie, et vous êtes la dernière personne à l'avoir vue en vie, hormis son assassin… ou ses assassins. Il y a une raison précise pour laquelle je voulais vous parler. » Elle sortit de son sac les deux photos de la robe de Jackie Kennedy. « Regardez, ce bracelet était au bras du mannequin à l'ouverture de l'exposition, mais il avait disparu au moment où Virginia Wakeling a été tuée. »

Il examina les photos attentivement. « Ma copine dérobait des bijoux dans la boutique de cadeaux, pas dans les galeries. C'était malhonnête, bien sûr, mais pas aussi grave que de voler un musée. » Il se tut soudain et plissa les yeux, comme s'il cherchait à retrouver un souvenir qui lui échappait. « L'alarme, dit-il. Une alarme silencieuse s'est déclenchée dans une galerie de l'exposition ce soir-là. J'ai reçu une alerte de la centrale. J'ai été un des premiers à répondre. Vous croyez que ça peut être lié à la disparition de ce bracelet ?

— Jusqu'à ce que nous sachions ce qui s'est vraiment passé, c'est une possibilité. Vous rappelez-vous s'il était là plus tôt dans la soirée ?

— Non, et je doute qu'aucun d'entre nous ait noté un détail de ce genre. La commissaire de l'exposition aurait pu, sans doute. C'était Cynthia Vance.

— A-t-elle remarqué que quelque chose avait disparu ?

— Non, parce que c'était l'année où elle n'a pas assisté au gala. Pour la première fois de toute sa carrière, autant que je sache. Elle a eu une mononucléose et est restée absente pendant un mois. En arrivant dans les galeries, nous n'avons vu personne, et rien ne semblait avoir été dérangé. Nous avons pensé que l'alarme avait été déclenchée par une des équipes extérieures qui installaient les caméras.

— Cynthia Vance travaille-t-elle encore au musée ?

— Je présume que oui. C'est le genre de personne qui restera à son poste jusqu'à ce que Dieu en décide autrement. »

Laurie nota de prendre contact avec Cynthia Vance dès que possible. Un rapport entre le vol du bracelet et le meurtre de Virginia n'avait jamais été envisagé, mais pourquoi ne pas aller au bout de cette piste ?

« Vous avez confié à la police que Virginia était bouleversée quand elle est montée sur la terrasse – comme si elle s'était disputée avec quelqu'un. Un témoin nous a affirmé avoir vu son fils et son gendre en train de se disputer un peu plus tôt dans la salle du temple. Serait-il possible qu'elle ait eu un différend avec l'un d'eux ?

— Je n'en ai pas la moindre idée. J'ai eu du mal à l'époque à expliquer à la police pourquoi j'avais l'impression qu'elle avait été mêlée à une altercation. Elle ne l'a jamais dit clairement. Elle m'a seulement exprimé son souhait d'être seule et de prendre un peu l'air. Tout en jetant par-dessus son épaule un regard furieux en direction de l'assemblée. J'ai eu l'impression qu'elle était irritée contre quelqu'un et voulait faire une pause. Elle m'avait dit un jour que la terrasse du Met était l'un de ses endroits préférés en ville. Il ne m'est jamais venu à l'esprit qu'elle pourrait y être en danger. Je l'ai prévenue qu'il ferait froid là-haut. Elle a répondu qu'elle n'avait pas l'intention d'y rester plus de quelques minutes. »

Laurie posa encore quelques questions à Marco, mais il était évident qu'il leur avait dit tout ce qu'il savait. « J'apprécie que vous soyez si coopératif, le remercia Laurie, étant donné nos méthodes. »

Il protesta des deux mains. « Sans rancune. Dans ma profession, on sait qu'il faut tout faire si on veut obtenir des résultats. Que ce soit maintenant ou plus tard, j'espère que vous penserez à moi pour vos problèmes de sécurité, madame Pierce. »

Charlotte promit qu'elle resterait en contact, et Laurie la crut.

Comme Marco s'apprêtait à partir, il se retourna. « Bonne chance pour votre émission, Laurie. Le plus grand regret de ma carrière est de ne pas avoir suivi Mme Wakeling sur la terrasse. Il m'arrive de me réveiller au milieu de la nuit, de l'imaginer en train de tomber. »

46

La visite suivante de Laurie fut pour le Metropolitan Museum. Elle avait téléphoné à Sean Duncan, le chef de la sécurité, à la suite de son entretien avec Marco Nelson. Après s'être efforcé au début de ne rien dire de négatif, Duncan avait confirmé que la petite amie de Marco avait effectivement utilisé un compartiment secret de son sac pour voler des objets dans la boutique, mais que le musée n'avait jamais eu de preuves formelles permettant d'impliquer Marco. D'après Duncan, si la décision lui avait appartenu, le service de sécurité aurait géré l'affaire différemment, mais c'était l'ancien directeur qui avait suggéré à Marco de changer de job, ce que ce dernier avait de toute manière déjà envisagé.

Duncan confirma également que la commissaire de l'exposition, Cynthia Vance, était toujours employée par le musée et proposa à Laurie de les mettre en relation. Quand Laurie expliqua la raison de son appel, Cynthia proposa aussitôt de la rencontrer.

À présent, Laurie se trouvait au bien nommé Dining Room du Met devant une tasse de café, profitant de la vue sur Central Park. Attablée en face d'elle, Cynthia

Vance lui sourit. Une petite soixantaine, des cheveux auburn bouclés, un visage rond et des lunettes incrustées de strass perchées sur le sommet de la tête. Elle arborait un beau sourire chaleureux et rayonnait d'énergie. « Ce fichu bracelet, dit-elle en pressant ses paumes l'une contre l'autre comme pour souligner son propos. J'étais furieuse que nous l'ayons perdu.

— Quand vous en êtes-vous aperçue ?

— Pas avant la fin de l'exposition, et tout ça à cause d'une mononucléose. J'ai été absente plusieurs semaines – plus d'un mois en fait. C'est insupportable d'attraper une telle maladie, surtout à mon âge, et ça ne pouvait pas tomber plus mal. Heureusement, l'exposition était prête et il ne restait pas grand-chose à préparer. J'avais cru au début qu'il s'agissait seulement d'un mauvais rhume et travaillé comme si de rien n'était, mais deux jours avant l'inauguration, je me suis réveillée très mal en point, comme si un quinze-tonnes m'était passé dessus. Quand le médecin a diagnostiqué une mononucléose, le directeur du musée m'a donné l'ordre de rester chez moi. Pas question de laisser un des conservateurs contaminer des centaines de visiteurs. J'ai dû surveiller la fin des préparatifs via Skype. Ma pauvre équipe a dû parcourir cent fois les galeries, tout photographier dans le moindre détail pour que je puisse vérifier le résultat final. C'est le seul gala que j'aie jamais manqué. Il me reste à trouver une occasion de porter mon incroyable robe – inspirée de Mamie Eisenhower, figurez-vous. Complètement rétro.

— Et vous n'avez pas remarqué la disparition du bracelet immédiatement après votre retour ?

— Ah oui. Ce malheureux bracelet, fit-elle, reprenant le fil de la conversation. Lorsque je suis revenue travailler, j'ai enfin pu voir ma propre exposition. Chaque pièce était magnifique, et j'étais fière de ce que nous avions accompli pour raconter l'histoire fascinante de l'évolution du rôle des premières dames américaines. Mais, honnêtement, j'essayais de rattraper le retard accumulé après une absence d'un mois et je n'ai peut-être pas prêté attention aux détails autant qu'il aurait fallu. Quand on a procédé au démontage de l'exposition, j'ai fait l'inventaire de toutes les pièces afin de les retourner à ceux qui nous les avaient prêtées. Et, malgré nos efforts, nous n'avons pas retrouvé ce fichu bracelet.

— C'était pourtant une disparition non négligeable.

— Bien sûr, et je l'ai envisagée avec le plus grand sérieux. Mais la réalité, Laurie, est que nous avons des centaines de milliers de pièces dans ce musée, dont certaines extrêmement petites – une pointe de flèche, une balle de fusil ou un petit bracelet à breloques en l'occurrence. Les objets sont réparés, déplacés, prêtés à d'autres musées, mais très rarement égarés. J'étais navrée de cette affaire, mais, heureusement, la responsable de la succession Kennedy s'est montrée très compréhensive. Vous comprenez, le rang de perles qu'ils nous avaient prêté était authentique, mais le bracelet était un bijou fantaisie – j'aimais bien cette idée de marier un collier très classique à l'une de ces babioles que Jackie s'amusait souvent à porter. Elle avait le chic pour mélanger la haute couture et la mode de la rue. Donc, je suppose que si je devais perdre quelque chose – le cauchemar de tout conservateur –, cela aurait pu être pire.

— Vous n'avez pas visionné les vidéos des caméras de sécurité pour essayer de repérer le moment où il a disparu ?

— Nous gardons les vidéos pendant une semaine, et lorsque je me suis rendu compte de sa disparition, l'exposition avait été démontée depuis bien plus longtemps. En réalité, jusqu'à votre appel, je n'avais jamais pris au sérieux l'hypothèse du vol.

— Ce que je continue de trouver étrange, c'est l'alarme qui s'est déclenchée la nuit du gala.

— Je vous comprends, et moi aussi, après ce que vous m'avez exposé. Mais, croyez-moi, ce bracelet était certainement l'un des objets de l'exposition les moins intéressants pour un voleur, si tant est qu'il ait été volé. Et c'était typiquement le genre de petite pièce qui peut être perdue durant le démontage d'une grande exposition. Je ne gagne pas ma vie en résolvant des mystères, mais celui-ci ne m'empêcherait pas vraiment de dormir. »

Elle avait raison. Si quelqu'un devait courir le risque de commettre un vol dans le plus grand musée du pays, il choisirait sans doute autre chose qu'un modeste bracelet, impossible à distinguer d'une babiole de supermarché. Laurie pouvait rayer Marco Nelson et le bracelet de sa liste de pistes.

Elle déclina l'offre du serveur qui lui proposait un autre café et demanda l'addition, mais Cynthia lui assura que la note était déjà réglée. « Après tout le soutien que Virginia nous a apporté durant des années, c'est le moins que je puisse faire pour quelqu'un qui tente de résoudre l'énigme de sa mort. J'avais espéré que l'un de ses enfants accepterait notre invitation d'occuper son siège au conseil d'administration, mais je pense qu'Anna est trop absorbée par l'entreprise familiale pour être aussi investie que sa mère dans ce genre de chose.

— Je remarque que vous n'avez cité qu'Anna. »

Le sourire de son interlocutrice s'élargit et ses yeux brillèrent de malice. « Avez-vous rencontré Carter, le fils ? »

Laurie hocha la tête. « Toute la famille coopère à notre émission.

— Je vous connais depuis quelques minutes seulement, mais je vous crois suffisamment observatrice pour avoir saisi comment fonctionne cette famille.

— Anna semble très impliquée dans la société. C'est une dirigeante-née. Et son mari, Peter, est probablement un associé très compétent. »

Cynthia hocha la tête d'un air entendu. Il n'y avait aucune ambiguïté sur le degré d'implication du fils de Virginia. Elle demanda :

« Carter est-il toujours célibataire ? Virginia espérait qu'il finirait par rencontrer la femme qu'il lui fallait et par se ranger. Elle aurait voulu qu'il ait des enfants suffisamment tôt pour qu'ils grandissent à côté de leurs petits cousins. Ses propres enfants n'avaient jamais été proches de leur cousin à cause d'un problème entre Bob et son frère.

— Carter n'est pas marié, dit Laurie. J'ignorais que vous étiez proche de Virginia au point d'avoir avec elle ce genre de conversation.

— Nous ne nous voyions pas en dehors du musée, mais elle venait souvent et s'intéressait beaucoup à notre travail, pas uniquement aux fêtes, comme certains donateurs. En plus, elle adorait sa famille et en parlait constamment.

— Et parlait-elle aussi d'Ivan ?

— Évidemment, et son visage s'éclairait chaque fois qu'elle mentionnait son nom. Je n'arrive pas à comprendre que quelqu'un ait voulu s'en prendre à elle, mais j'espère sincèrement que ce n'était pas lui. Elle l'aimait profondément. Imaginer qu'elle se soit rendu compte à la dernière seconde qu'il s'apprêtait à la… » Elle porta une main à son cœur.

« Nous étudions toutes les possibilités.

— Bonne chance dans votre enquête. Et voulez-vous saluer les Wakeling de ma part ? Penny également, si elle fait encore partie du paysage. J'avais plus ou moins espéré que Carter l'épouserait. »

La mention soudaine de l'assistante de Virginia interloqua Laurie. « Qu'est-ce qui vous fait dire ça ?

— On voyait Penny si souvent, j'avais l'impression qu'elle faisait presque partie de la famille.

— Mais Carter et elle paraissaient-ils attirés l'un par l'autre ? »

Cynthia haussa les sourcils. « J'espère que oui, étant donné que je les ai vus un jour s'embrasser !

— Quand ?

— C'était… Ah oui. C'était encore au moment où je croyais avoir un simple rhume, donc à peu près une semaine avant le gala. Virginia était venue au musée pour une visite spéciale organisée à l'intention des membres du conseil et de quelques donateurs importants. Penny l'accompagnait, et la famille était censée se retrouver après la visite pour déjeuner. Je suis sortie une minute pour fumer une cigarette – c'est la pire des habitudes, je sais, et en plus j'étais malade – et j'ai vu Penny échanger un baiser avec Carter au moment où il arrivait, pendant que Virginia était allée se repoudrer le nez. Et quand j'y pense, c'est la dernière fois que je les ai vus. »

Pour la première fois depuis que Ryan était entré dans son bureau pour lui parler d'Ivan Gray, Laurie eut le sentiment d'avoir découvert une information nouvelle qui pourrait tout changer.

Elle appela Jerry dès qu'elle se retrouva dehors. « Tu peux caler le calendrier de la production. Je crois qu'on est prêts à tourner. »

47

Laurie se sentait comme un professeur, debout devant le tableau blanc de son bureau, marqueur en main, avec Ryan, Jerry et Grace rassemblés autour de la table de réunion.

« Comme toujours, nous n'écartons aucune autre hypothèse, mais nous avons pour l'instant deux suspects principaux : Ivan Gray et Carter Wakeling. » Elle entoura leurs noms d'un cercle. Jerry n'avait pas chômé depuis cinq jours. Le planning de production était déjà pratiquement arrêté. Le but de la réunion d'aujourd'hui était de fixer définitivement quelques points et de s'assurer que Ryan était prêt pour les face-à-face.

« Les éléments retenus contre Ivan sont pratiquement les mêmes que ceux qui ont conduit la police à le soupçonner à l'origine. » Formé à Harvard, Ryan faisait preuve d'une rigueur irréprochable tandis qu'il exposait rapidement la situation : la différence d'âge entre Ivan et Virginia, les motivations financières éventuelles d'Ivan dans leur relation et, plus important, le fait que rien ne prouvait que Virginia était au courant du transfert d'un demi-million de dollars sur le compte du club d'Ivan. Cependant, même si Ryan semblait maîtriser parfaitement le dossier, Laurie percevait à son ton dédaigneux qu'il ne prenait pas au sérieux les éléments à charge réunis contre son coach personnel. Elle préféra garder ses réflexions pour elle.

« Les nouvelles informations dont nous disposons concernent Carter », dit-elle. Grace noircissait frénétiquement son carnet de notes, comme une étudiante au premier rang de la classe. « Pour que cette théorie tienne la route, nous devons vérifier trois points. Ivan a toujours dit que Virginia avait l'intention de modifier son testament, et de réduire considérablement les legs faits à ses enfants. Nous en avons eu confirmation par l'assistante de Virginia, Penny.

— Si seulement nous avions l'enregistrement de cette conversation.

— Je pense que Penny finira par lâcher le morceau si Ryan peut décider Carter à reconnaître qu'ils se fréquentaient, dit Laurie. C'est probablement ce que Penny essaye de nous cacher. Quand ce ne sera plus un secret pour personne, elle aura peut-être envie de donner sa version de l'histoire. Ce qui nous amène au deuxième point : la relation de Carter et Penny. Le troisième point a été soulevé par Gerard Bennington : Carter et son beau-frère ont été vus en train de se disputer pendant le gala, peu avant le meurtre. »

Ryan prit un air de procureur déposant ses conclusions. « Primo, Virginia allait modifier son testament. Deuzio, Penny l'avait découvert et révélé au fils de Virginia, Carter, qui risquait de perdre ainsi des millions. Tertio, Carter avait essayé d'obtenir de Peter, qui était non seulement son beau-frère, mais le conseil juridique de Virginia, des éclaircissements, sans résultat. Conclusion : il était prêt à tout pour empêcher sa mère de modifier les clauses de son testament, même à la supprimer. »

Ils continuaient à spéculer sur ce qui s'était produit au cours de cette troisième étape : Peter avait-il confirmé que le testament allait être modifié ? Avait-il refusé d'intervenir ?

« Et qu'en est-il du testament rédigé avant la mort de Robert Wakeling ? demanda Laurie. Est-ce que le tribunal des successions nous l'a transmis ? » C'était un pari risqué, mais Laurie tenait à comparer le testament de Virginia à celui que Bob et elle avaient rédigé ensemble quand il était en vie.

« On devrait l'avoir demain, dit Ryan. Je m'en suis chargé. »

Elle eut l'impression que Ryan n'en avait rien fait, mais qu'il se promettait de s'en occuper sans plus tarder.

« Et sommes-nous sûrs qu'il faut interroger Anna et Peter ensemble ? » demanda-t-elle. C'était elle qui avait pris cette décision, mais elle hésitait à présent.

À sa grande surprise, Ryan, qui s'y était opposé initialement, se rangea à son premier choix. « J'ai changé d'avis sur ce point, dit-il. Je pense que vous avez raison.

— Ce serait bien la première fois. Est-ce que je peux aller chercher un magnéto pour vous enregistrer ? » se moqua Jerry.

Ryan sourit, mais il était manifeste que le commentaire l'avait irrité. « Bennington a clairement rapporté que la conversation entre Carter et Peter était houleuse, suffisamment pour qu'Anna leur ait demandé de se calmer. Et vous êtes tous d'accord pour dire que Peter et elle forment un couple qui semble toujours sur la même longueur d'onde. Si nous les interrogeons séparément, ni l'un ni l'autre ne déviera de la déclaration qu'ils auront pu préparer à l'avance. Mais s'ils sont ensemble quand nous leur balancerons ce que nous savons, il y a une chance qu'un élément nouveau surgisse.

— Jerry, est-ce qu'on est prêts à filmer demain ? »

Ils avaient obtenu l'accès au musée pour une seule journée, et leur projet était d'interroger Ivan, Gerard Bennington et Marco Nelson sur place, et de filmer la terrasse. Marco avait accepté de paraître à l'écran après que Laurie lui avait assuré qu'on ne mentionnerait pas les raisons de son départ.

« Prêts à cent pour cent, dit Jerry. J'ai bossé avec cette formidable conservatrice, Cynthia Vance. On va peindre un coin d'une petite galerie cette semaine. Nous y installerons les robes de Gerard et ensuite nous raccorderons la vidéo à celle de l'exposition prise avant l'inauguration. Quelques exercices de copier-coller et on aura l'impression que nous étions présents à la soirée.

— Super », fit Laurie.

Avant de partir, Grace proposa de taper ses notes et de les distribuer à toute l'équipe. Laurie la remercia de son initiative puis demanda à Ryan de rester un instant. Grace referma la porte derrière elle. Comme toujours, elle avait deviné les intentions de Laurie.

« Je sais que vous croyez Ivan innocent, commença Laurie.

— Parce qu'il est innocent. J'ai passé pas mal de temps avec lui. Ce n'est pas un assassin.

— Mettons, mais notre émission est basée sur des faits. Nous devons être objectifs.

— Si ma mémoire est bonne, notre dernier sujet concernait une femme qui était liée à l'une de vos meilleures amies. »

La dernière émission de la série avait rouvert le dossier de Casey, emprisonnée pour le meurtre de son fiancé. Casey avait entendu parler de l'émission parce que sa cousine travaillait pour Charlotte.

« C'est exact, dit Laurie, mais j'ai été très claire dès le début – envers elle et envers tout le monde – sur le fait que je m'en tiendrais uniquement aux preuves. Nous avons fait subir à Casey un sévère contre-interrogatoire, si vous vous en souvenez.

— Je prends ça pour un compliment, dit Ryan.

— Êtes-vous prêt à en faire autant avec Ivan Gray ? Si vous montrez la moindre complaisance envers votre coach de boxe, le public s'en apercevra instantanément. Ce qui risquerait de compromettre toute la série. » Laurie avait travaillé des années à bâtir sa réputation de productrice crédible, fidèle aux exigences déontologiques du journalisme, malgré l'étiquette de téléréalité utilisée pour décrire *Suspicion*.

« Je ferai mon job, Laurie. Vous savez pourquoi ? Quand il sera prouvé que Carter est coupable, je veux que tout le monde sache que nous avons été équitables. »

Elle hocha la tête. « Dans ce cas, nous sommes sur la même longueur d'onde. » Du moins je l'espère, ajouta-t-elle in petto.

Elle était seule dans son bureau depuis quelques minutes quand elle se surprit à contempler son téléphone. Elle avait envie d'appeler Alex.

Elle se souvint qu'elle s'était promis de ne pas retomber dans le même cycle qui l'avait poussé à s'éloigner d'elle en novembre. Il avait insisté pour qu'elle réponde à cette simple question : « Mais pour *toi*, qui suis-je ? »

Elle continuait de fixer le téléphone. Pourquoi était-elle si désireuse de lui parler ? Cela n'avait aucun rapport avec l'émission. La réunion d'aujourd'hui avait probablement été la plus longue qu'elle ait tenue sans penser à Alex. Aucun rapport non plus avec Leo ou Timmy. Ni avec un quelconque différend qui l'opposerait à Brett ou à Ryan.

Si je l'appelle, que vais-je lui dire ?

Elle comprit alors que les sujets abordés importeraient peu. Ils pouvaient parler de politique, de musique, de télévision, de la neige ou de la couleur du pull qu'elle portait aujourd'hui. Elle voulait seulement entendre sa voix. Elle voulait le revoir. Elle se contenterait même d'une conversation téléphonique. Il lui manquait, pour la seule raison qu'il avait été une partie importante de sa vie, et qu'il n'était plus là.

Elle était prête.

Elle saisit son téléphone et composa le numéro de mémoire. À chaque sonnerie, elle sentait son cœur se serrer davantage. Elle l'imagina vérifiant l'écran, s'attendit à ce que son appel soit dirigé vers sa boîte vocale.

Ici Alex Buckley. Veuillez laisser un message.

Elle s'apprêta à raccrocher puis se reprit. Non, ils avaient suffisamment attendu. Elle refusait de mettre en mode pause cette partie de sa vie.

« Alex, ou devrais-je dire "Votre Honneur", c'est Laurie. S'il te plaît, rappelle-moi quand tu auras une minute. »

En reposant l'appareil, elle contempla la photo qui trônait sur son bureau. Greg, Timmy et elle. Elle avait l'air si heureuse alors. « Je veux l'être à nouveau, Greg, murmura-t-elle. Tu le voudrais pour moi. Cet homme te plairait. Il m'aime, ou du moins il m'aimait. »

Je vous en prie, faites qu'il ne soit pas trop tard.

48

Jerry n'avait pas exagéré en disant qu'avec la collaboration du Met il était parvenu à transformer un minuscule coin du musée de façon à donner à l'image l'illusion de se trouver dans l'exposition de « La Mode et les premières dames ». Le décor consistait simplement en deux robes drapées sur des mannequins devant un fond vert, auxquelles s'ajoutaient deux fauteuils pour Ryan et Ivan. Mais quand Laurie visionna la scène sur l'écran à côté du cameraman, elle eut l'impression d'être transportée dans l'exposition. « La magie de la caméra », comme l'avait si bien dit Jerry.

Au lieu de la tenue de sport habituelle, Ivan avait choisi pour l'occasion un costume gris foncé à la coupe élégante et une cravate à rayures. Pour la première fois, elle pouvait imaginer qu'une femme sophistiquée telle que Virginia ait pu le trouver séduisant.

Ryan avait déjà passé en revue avec lui les circonstances de sa relation avec Virginia et leur première rencontre à une exposition de peinture. Il l'avait invitée à dîner. Ils avaient vite pris l'habitude de se voir régulièrement. Quand elle lui avait offert une Porsche pour son anniversaire, ils ne sortaient ensemble que depuis sept mois. Ils avaient choisi la bague à l'occasion du premier anniversaire de leur rencontre. « Je considérais que nous étions fiancés, dit-il. De son côté, elle n'était pas encore prête à l'annoncer.

— Qu'est devenue cette bague ? » demanda Ryan.

La question surprit Laurie. Elle n'avait pas pensé à la poser auparavant, et cela prouvait que Ryan, comme promis, ne ferait pas de cadeau à son coach de boxe.

« Je l'ai rapportée au bijoutier un mois environ après la mort de Virginia. Voir l'écrin dans le tiroir de ma commode était un souvenir trop douloureux.

— Et le bijoutier vous a remboursé ?

— Oui, il a recrédité ma carte bleue. Il s'est montré très compréhensif.

— Mais n'est-ce pas Virginia qui finançait votre carte de crédit lorsque vous avez acheté la bague ? »

Ivan se tortilla légèrement sur son siège. « Oui. Je sais, ça fait désordre. Mais, sincèrement, je n'avais aucune raison de garder cette bague, et je savais que la famille n'en voudrait pas. C'était à cause de leur désapprobation que Virginia ne la portait pas. Et à l'époque où je l'ai revendue, ils clamaient partout que j'étais un assassin. Je me suis dit que Virginia aurait voulu que je la rende et que j'investisse l'argent dans ma salle de sport, Punch.

— En plus du demi-million de dollars qu'elle vous avait déjà avancé. »

Ivan avait imaginé que l'interview se déroulerait sur un ton plus amical, c'était visible. « Comme je l'ai déjà dit, elle avait confiance en mon intuition. Et il se trouve qu'elle avait raison. J'aurais déjà pu lui rembourser six fois cette somme.

— Virginia n'était pas la première femme plus âgée et plus riche que vous avec qui vous êtes sorti », fit Ryan. Ce n'était même pas une question. « Vous en avez rencontré beaucoup parmi vos clientes.

— Quelques-unes, mais rien de sérieux. Pas comme avec Virginia.

— Comment décririez-vous les relations au sein de la famille Wakeling le soir du gala ? demanda Ryan, changeant de sujet.

— Cordiales, dit Ivan, choisissant ses mots avec soin. Ils étaient polis, peut-être un peu guindés. Ils avaient carrément déclaré à leur mère qu'ils préféraient que je ne l'accompagne pas à un événement aussi mondain. Étrangement, pourtant, cette soirée en présence de sa famille fut sans doute la plus détendue que j'aie jamais connue. Je pensais sincèrement que la glace commençait à fondre, et puis Virginia a disparu.

— Qu'est-ce qui avait réchauffé l'atmosphère ?

— Je préférerais ne pas avoir à en parler, mais je pense qu'ils avaient trouvé quelqu'un d'autre que moi à critiquer ce soir-là. Leur cousin, Tom, était parvenu à décrocher une invitation pour le gala. » Ivan expliqua la place qu'occupait Tom dans l'arbre généalogique familial, l'animosité entre Robert Wakeling et son frère, qui avait perduré après leur mort. « Virginia et ses enfants étaient indignés, ils disaient que Tom avait soutiré des places sous prétexte qu'ils avaient le même nom de famille. Il n'était pas assis à notre table, mais il s'en est approché à plusieurs reprises, cherchant visiblement à s'immiscer dans le cercle de famille. Il était accompagné d'une fille cinglée. Elle était un peu ivre et racontait à qui voulait l'entendre des histoires à dormir debout sur sa grand-mère – une ancienne danseuse de cabaret – qui avait eu une histoire d'amour torride avec un homme politique célèbre et aurait mérité d'avoir une de ses robes exposée au musée. Ginny a dit ensuite que c'était le moment le plus divertissant que lui ait procuré en trente-cinq ans cette branche de la famille Wakeling. » Il sourit tristement à ce souvenir. « Je suppose qu'ils prenaient tous tellement plaisir à se gausser de Tom que je leur paraissais inoffensif en comparaison.

— Mais "inoffensif" n'est pas le premier mot qui vient à l'esprit quand on vous voit, me semble-t-il…

— Qu'entendez-vous par là ?

— Virginia Wakeling mesurait un mètre soixante et pesait cinquante kilos. Vous auriez pu la soulever comme une plume, non ?

— Bien sûr, mais cela n'a rien d'extraordinaire. La plupart des hommes, et beaucoup des femmes que j'entraîne, seraient capables de soulever quelqu'un d'aussi léger que l'était Virginia. Quant à moi, je n'aurais jamais, jamais pu lui faire de mal. »

Ryan revint alors aux questions d'argent, comparant en détail les dépenses d'Ivan dans les mois qui avaient précédé le meurtre de Virginia avec ses revenus. Le résultat était clair : il vivait aux crochets de sa riche amie.

« Virginia a dit à ses enfants qu'elle ne vous aidait qu'occasionnellement, dit Ryan, et pourtant elle vous a versé environ cinq cent mille dollars pour financer votre établissement. Possédez-vous des documents contractuels formalisant un accord passé avec elle ? »

Ivan secoua la tête. « Rien d'officiel. Nous avions l'intention d'en discuter une fois mariés. Nous comptions régler ce point en l'incluant dans un contrat de mariage que j'avais accepté de signer.

— En vérité, dit Ryan, vous n'avez aucune preuve que Virginia vous a donné cet argent de son plein gré, n'est-ce pas ?

— Non, mais il n'y a pas non plus de preuve que je l'ai volé. La présomption d'innocence existe encore si je ne me trompe… Écoutez, la fortune et la générosité de Virginia m'ont-elles aidé ? Naturellement. Mais lorsque je suis tombé amoureux d'elle, elle aurait pu tout perdre que j'aurais continué à vouloir l'épouser. J'ai apporté quelque chose que j'aimerais lire si vous m'y autorisez.

— Allez-y », dit Ryan. Il regarda Laurie et elle hocha la tête. Ils auraient toujours la possibilité de couper au montage.

« *Tu m'as confié un jour que Bob était ton âme sœur. J'en avais déduit à l'époque que je n'avais rien à attendre de sérieux ni de durable. Mais tu m'as avoué ensuite que j'étais ta deuxième chance de connaître le bonheur. Alors j'ai su que tu m'avais ouvert ton cœur et que je voulais partager ce bonheur avec toi jusqu'à notre dernier souffle.* Ce sont les paroles que j'ai prononcées lors de ma demande en mariage, car je savais qu'elle ne commençait pas une nouvelle vie avec moi. J'arrivais dans une existence déjà longue et bien remplie. »

Laurie sentit une boule lui serrer la gorge. Quand j'étais avec Greg, pensa-t-elle, j'avais l'impression qu'il était mon âme sœur. Sans rien effacer de sa vie avec Greg, lui serait-il possible de connaître une deuxième chance avec Alex ?

Le reste de la journée se déroula sans anicroche. Malgré les horaires contraignants du musée, ils réussirent à filmer l'endroit de la terrasse d'où l'on pensait que Virginia avait été précipitée, mais aussi les face-à-face avec Gerard Bennington et Marco Nelson. Laurie était convaincue que la description faite par Gerard de la dispute entre Carter et Peter durant la fête et celle de Marco qui avait dépeint une Virginia bouleversée demandant à se retrouver seule seraient les deux moments forts de l'émission.

Lorsqu'ils eurent fini de tourner, son téléphone était resté éteint plusieurs heures. Elle savait que Timmy pouvait toujours appeler Leo en cas d'urgence, mais elle voulait quand même s'assurer que tout s'était bien passé.

Elle fit défiler la liste de ses nouveaux messages vocaux. Rien de Timmy ni de Leo. Mais le nom d'Alex affiché sur l'écran lui sauta aux yeux. C'est d'une main presque tremblante qu'elle pressa le bouton d'écoute.

« Laurie, c'est merveilleux d'entendre ta voix. Pardon de répondre si tardivement. J'ai passé toute la journée d'hier au Capitole avec des sénateurs de la commission judiciaire, et j'ai dîné avec les assistants de la Maison Blanche en vue des audiences de confirmation. Lorsque j'ai eu fini, il était trop tard pour te rappeler, et, bon, maintenant je bafouille. » Il y eut un silence. « Je suis heureux que tu m'aies téléphoné. Fais-moi signe quand tu auras un moment. »

Elle s'apprêtait à ranger son portable dans son sac quand elle se rendit compte qu'elle n'avait pas envie d'attendre une seconde de plus. Elle trouva un coin tranquille sur la terrasse, à l'écart du perchman et des machinistes en train de ranger leur matériel, et composa le numéro d'Alex.

Il répondit au bout d'une demi-sonnerie. « Laurie. » Il avait l'air heureux, peut-être un peu nerveux.

« Comment se déroule l'offensive de charme à Washington ?

— C'est affreux. J'ai l'impression de passer un concours de beauté pour avocats, je me promène de bureau en bureau, répétant mon discours parfaitement rodé et mes réponses judicieuses, le tout avec le sourire. Dès que j'ai un break d'une demi-heure dans mon emploi du temps j'ai une furieuse envie de tout laisser tomber pendant que personne ne regarde. J'ai hâte d'être à demain et de retrouver ma vie habituelle.

— Tu rentres ce soir ?

— Demain matin, par la première navette.

— Et tu es libre demain soir ?

— Je n'ai aucun projet. C'est pour le récital de Timmy ? Il m'en a parlé quand je l'ai vu avec ton père au Madison Square Garden.

— Non, le récital est jeudi.

— Les Knicks jouent demain à l'extérieur de New York, sinon je vous aurais tous invités. Je sais que Leo et Timmy sont des fans.

— Non. Pas de sport. Pas de récital. C'est moi qui aimerais t'inviter à dîner, juste nous deux – si cela te convient. »

Elle crut presque l'entendre sourire à l'autre bout de la ligne, et sentit son cœur se gonfler.

— C'est la plus belle invitation que j'aie reçue depuis longtemps, Laurie », dit-il avec ferveur.

50

Quand Laurie arriva au studio le lendemain matin, Grace l'accueillit avec un sifflement. « Waouh ! Tenez-vous bien, la reine Moran en personne. Tu as l'intention de rejoindre Ryan devant la caméra aujourd'hui ? »

Laurie n'ignorait pas qu'elle était séduisante, mais elle n'était pas du genre à beaucoup se maquiller ni à arborer une coiffure sophistiquée. Aujourd'hui, pourtant, elle avait apporté un soin tout particulier à sa toilette, limitée habituellement à un coup de brosse sur ses cheveux courts et un peu de mascara. Elle savait aussi que sa robe portefeuille vert vif lui seyait à ravir et soulignait les reflets de ses yeux noisette.

« Disons seulement que j'ai des projets après le bureau. »

Grace fit mine d'applaudir. « Avec celui auquel je pense ? Alexandre le Grand ?

— Il détesterait que tu l'appelles comme ça.

— Il m'adore. Pas autant que toi, mais…

— Bon. On a d'autres chats à fouetter, Grace.

— Moi ? Fouetter un chat ? Pas question. Je ne sais pas d'où peut sortir cette expression.

— Où est Jerry ? demanda Laurie devant son bureau désert.

— Il est déjà parti à Greenwich pour s'assurer que le matériel est bien prêt. » Aujourd'hui, ils avaient prévu d'interviewer Anna Wakeling et son mari, Peter Browning dans la propriété familiale, à Greenwich dans le Connecticut.

Ça m'arrange, pensa Laurie. Plus vite nous aurons fini, plus vite je pourrai revenir en ville et dîner avec Alex.

Le chauffeur s'arrêta dans la longue allée qui bordait la demeure. Laurie et Ryan descendirent de voiture et restèrent un instant bouche bée. La propriété des Wakeling était un véritable manoir, un superbe exemple du style géorgien, à la façade de pierre ornée d'un lierre grimpant parfaitement taillé. Les jardins de la propriété rivalisaient avec ceux de Versailles.

« Ça ne respire pas particulièrement la misère », murmura Ryan.

Anna Wakeling les accueillit à la porte, mais elle semblait préoccupée par ce qui se passait à l'intérieur. « Faites attention aux planchers, s'il vous plaît », lança-t-elle à la cantonade en se retournant. Elle regarda Laurie, l'air inquiète. « Entrez. Quand nous nous sommes mis d'accord, je ne me rendais pas compte qu'il y aurait autant de caméras. Nous aurions pu tourner simplement au bureau.

— Voir le lieu où vivait votre mère permettra au public de mieux comprendre qui elle était, dit Laurie.

Plus les gens seront pris par son histoire, plus nous aurons de chances d'obtenir de nouvelles informations sur son meurtre.

— Et plus le taux d'audience de votre émission grimpera, répliqua Anna. Désolée. Je suis un peu cash. Mais je suis une femme d'affaires moi aussi.

— Avez-vous des questions à nous poser avant que nous commencions ? demanda Ryan.

— Aucune, dit-elle fermement. Demandez-nous tout ce que vous voulez, monsieur Nichols. Mon mari et moi n'avons rien à cacher. »

Ils filmèrent l'entretien dans un salon très éclairé, décoré dans le style campagne française. Peter et Anna étaient assis côte à côte sur un canapé, se tenant par la main. « C'était la pièce préférée de ma mère dans la maison, expliqua Anna non sans une certaine mélancolie. Elle aimait lire ici des heures durant tandis que mon père travaillait dans le bureau. »

Ryan fit preuve de tact durant la plus grande partie de l'interview, laissant Anna et Peter exposer leurs griefs envers le jeune prétendant de leur mère. Ils le dépeignirent comme un individu dépourvu d'éducation et de raffinement, pressé d'épouser leur mère pour sa fortune. Laurie avait craint que la foi de Ryan en l'innocence d'Ivan n'influe sur sa façon d'interroger les invités de l'émission, mais il se montra objectif – et fit même preuve de compréhension lorsqu'ils exposèrent leurs soupçons.

« Peter, Ivan nous a dit que votre belle-mère et lui avaient discuté d'un contrat de mariage. Cela n'avait-il pas calmé certaines de vos inquiétudes ?

— J'étais le conseil juridique de Virginia en plus d'être son gendre, je ne peux donc rien dévoiler de ce qu'elle m'a confié.

— Mais Ivan n'était pas votre client. Est-il vrai qu'il est venu vous dire, à vous le conseil qui aviez l'entière confiance de Virginia, qu'il était prêt à signer tout ce qui pourrait rassurer la famille sur ses intentions ? »

Anna l'interrompit. « Il ne s'agit pas uniquement du contrat de mariage, qui ne s'applique qu'en cas de divorce. Le problème était notre crainte de le voir dépenser l'argent de ma mère s'ils se mariaient. Elle lui avait acheté une voiture de sport alors qu'elle le connaissait à peine ! C'était invraisemblable. Il aurait touché le gros lot en devenant son mari.

— Vous croyez donc que votre mère avait véritablement l'intention de l'épouser ? dit Ryan.

— Non, elle ne l'aurait jamais fait. Et quelle importance aujourd'hui de toute façon ?

— Si je comprends bien, vous pensez qu'Ivan a tué votre mère par peur d'être dénoncé parce qu'il imaginait qu'elle avait découvert qu'il lui volait de l'argent. Si elle avait vraiment fait le projet d'épouser Ivan, ne serait-ce pas plus crédible qu'elle lui ait avancé les fonds pour créer son affaire ?

— Je refuse de croire qu'elle ait pu faire quelque chose d'aussi irresponsable, lui lança vivement Anna.

— Pourquoi irresponsable ? Après tout, les affaires d'Ivan sont florissantes. C'est une des salles les plus populaires de Manhattan.

— Peut-être, mais elle ne pouvait pas le savoir à l'époque, rétorqua Anna, piquée.

277

— À moins qu'elle ne l'ait pressenti parce qu'elle voyait chez lui des qualités que vous ne soupçonniez pas. Ne pensez-vous pas qu'elle avait confiance en ses capacités ? » Anna et Peter ne réagirent pas, mais l'implication était claire. Si Virginia avait donné volontairement cet argent à Ivan, il n'avait aucun motif de s'attaquer à elle. Ryan changea alors son angle d'attaque. « Est-il vrai que votre famille était très inquiète du tour que prenaient les finances de votre mère dans les jours qui précédèrent le gala ?

— Je ne sais pas si j'irais jusqu'à dire très inquiète, mais comme je l'ai déjà expliqué, nous pensions qu'elle était excessivement généreuse avec cet homme.

— La veille même de sa mort, vous lui avez dit : "C'est papa qui a gagné cet argent. Il serait anéanti s'il pouvait voir la manière dont tu le dépenses." » Ryan lisait ses notes. C'était Penny qui avait rapporté ce commentaire.

« Je n'aurais jamais dû lui dire ça, reconnut Anna, mais ce n'était pas faux.

— Vous m'avez aussi confié que vous étiez heureuse d'avoir passé une dernière journée en paix avec elle après cette affreuse dispute. »

Elle acquiesça tristement.

« Mais tout ne fut pas franchement paisible entre vous tous ce même jour, n'est-ce pas ? »

Anna et Peter échangèrent un regard décontenancé.

« Est-il exact, Peter, que vous vous êtes querellé avec votre beau-frère, Carter, avant le dîner du gala ? »

Peter cilla et Laurie le vit presser davantage la main de sa femme.

« Anna, continua Ryan, leur dispute était assez violente pour que vous vous soyez sentie obligée d'intervenir. Vous leur avez dit qu'ils s'étaient assez disputés pour la journée et qu'il était indécent de parler de quelque chose d'aussi "morbide" en public. Nous avons un témoin de cette conversation. Elle a eu lieu dans la salle du temple, si cela peut vous rafraîchir la mémoire. »

Anna s'agitait sur son siège, croisant et décroisant les jambes. Ryan insista :

« Le terme "morbide" concernait le testament de votre mère, n'est-ce pas ? Elle avait l'intention de le modifier et la famille s'en inquiétait.

— Non, ce n'est pas vrai, finit par dire Anna. Notre mère était très généreuse, à la fois envers sa famille et envers les institutions caritatives qu'elle soutenait. Rien ne changerait.

— C'était pourtant de cela que Peter et Carter discutaient. Non ? »

Anna et Peter se regardèrent de nouveau, et Laurie se demanda s'ils n'avaient pas fait une erreur en les filmant ensemble. Si jamais Anna se levait à ce moment précis, Peter la suivrait, et l'entretien serait terminé.

Ryan les poussa encore dans leurs retranchements. « Carter est allé trouver Peter, le conseil juridique de confiance, et lui a posé des questions sur le testament. Carter savait que sa mère avait l'intention de le modifier. Respectant le secret professionnel, Peter n'a rien dit. Voilà pourquoi ils se querellaient, n'est-ce pas ? »

Ryan s'était engagé en territoire inconnu, spéculant sur la cause de la dispute entre les deux hommes, mais Laurie était convaincue qu'ils avaient vu juste. Elle pouvait lire sur le visage de Peter l'inquiétude qui s'était emparée de lui. Il avait envie d'en dire davantage.

« Il ne *savait* rien, dit finalement Peter. Il ne cessait de me demander si Virginia m'avait mis au courant d'éventuels changements. Je trouvais la discussion de mauvais goût et déplacée, et je m'efforçais de l'éviter. Mais il insistait et c'est alors qu'Anna est intervenue.

— Saviez-vous que Carter sortait avec l'assistante de votre mère, Penny Rawling, à cette époque ? »

Leur expression interdite montra clairement qu'ils n'étaient pas au courant.

« Penny avait l'habitude de lire les papiers que votre mère roulait en boule avant de les jeter dans la corbeille de son bureau », dit Ryan. Anna secoua la tête d'un air désapprobateur. « Certaines de ces notes concernaient des modifications de son testament. Dans plusieurs d'entre elles, Carter et vous, Anna, héritiez des parts de votre mère dans la société, mais presque tous les autres biens devaient être légués à des œuvres de bienfaisance. »

Anna ouvrit la bouche, mais resta muette.

« C'est Penny qui a transmis cette information à Carter, ajouta Ryan. Raison pour laquelle il pressait Peter de lui en donner confirmation. »

Anna et Peter échangèrent de nouveau un regard, mais différent cette fois. Ils ne se souciaient plus du ton qu'avait adopté Ryan pour les interroger. Ils voyaient certaines choses sous un jour différent. Ils étaient effrayés.

280

« J'ai simplement pensé qu'il était paranoïaque », dit doucement Anna. Ryan attendit qu'elle s'explique. « Maman lui avait parlé, peut-être un mois avant sa mort. Elle s'inquiétait qu'il se croie "tous les droits". » Anna lâcha la main de son mari pour la première fois depuis le début de l'entretien et mima des guillemets pour encadrer les derniers mots. « Elle voyait que je m'investissais plus que lui. Elle lui a dit : "Sans l'argent de la famille, tu finirais comme ton cousin Tom." C'est vrai, Tom est super, il fait un travail formidable dans l'entreprise maintenant, mais à l'époque, croyez-moi, comparer Carter à notre cousin n'était pas un compliment. Tom passait d'un petit boulot à un autre, sortait avec des filles complètement cinglées, jouait – mais tout ça c'est du passé. Aussi, quand Carter a interrogé Peter à propos du testament de maman, je lui ai dit qu'il était parano. Je pensais que maman voulait seulement le pousser à devenir adulte. Je ne veux pas croire qu'il… »

Elle se tut et reprit la main de Peter.

« Qu'il quoi ? demanda Ryan. Qu'aurait-il pu faire ?

— Je dois le leur dire », chuchota-t-elle. Elle attendit l'approbation silencieuse de Peter, et Laurie comprit que le pouvoir dans leur couple était plus partagé qu'il n'y paraissait.

« Cette dispute que j'ai eue avec maman la veille du meurtre ? C'était à cause des questions que posait Carter à propos de son testament, parce qu'il s'inquiétait qu'elle le modifie et nous en exclue. Cela m'a fait penser à tout l'argent qu'elle dépensait pour Ivan, et je lui ai fait savoir que je la désapprouvais. Elle m'a sèchement répliqué qu'elle était adulte et avait le droit d'agir comme elle l'entendait. Mais Carter n'a pas voulu en rester là. Dès qu'il nous a vus au gala, il a voulu savoir si j'avais eu l'assurance de la part de notre mère que l'argent resterait dans la famille. Et il a continué à harceler Peter sur ce point, le sommant de la chapitrer sur la façon dont elle dilapidait "notre" argent. C'est alors que je me suis approchée d'eux et que je lui ai dit d'arrêter – nous étions dans un lieu public.

— Et qu'a dit votre frère ? demanda Ryan.

— Que nous… »

Peter l'interrompit et Laurie crut que l'avocat allait mettre fin à la conversation. En réalité, il finit la phrase d'Anna à sa place.

« Qu'il fallait que nous l'arrêtions. Que nous l'empêchions de modifier ce testament, *par tous les moyens*. »

Anna cligna des yeux à plusieurs reprises pour refouler ses larmes. Peter passa son bras autour de ses épaules et fit un geste en direction de la caméra, indiquant que c'était terminé.

52

De retour à Manhattan, Laurie s'arrangea pour arriver à l'Union Square Cafe dix bonnes minutes avant l'heure du rendez-vous. Ce soir, elle ne voulait pas courir le risque de faire attendre Alex.

Elle était au bar près de l'entrée quand elle le vit descendre de sa Mercedes noire, sans attendre que Ramon lui ouvre la portière. Elle le regarda ajuster sa veste sur le trottoir et vérifier sa coiffure dans le reflet de la vitre avant d'entrer.

Il lui parut encore plus beau que la dernière fois qu'elle l'avait vu.

Elle s'était préparée à des retrouvailles difficiles, mais après une rapide étreinte et un baiser léger, elle eut l'impression qu'ils s'étaient quittés la veille. En fait, c'était encore mieux. Ils semblaient avoir conclu un accord tacite selon lequel tous les obstacles qui avaient existé entre eux s'étaient définitivement dissipés.

Leur table était prête et l'hôtesse les conduisit au fond de la salle, loin des fenêtres, comme Laurie l'avait demandé. Quand elle l'avait connu, Alex était déjà un personnage public en raison des acquittements qu'il avait obtenus dans plusieurs affaires célèbres. Sa participation aux trois premières émissions de *Suspicion* avait accru sa célébrité. Maintenant que sa nomination au siège de juge fédéral était imminente, elle ne voulait pas que leur dîner soit interrompu par des inconnus avides d'autographes et de selfies.

« Alors, raconte-moi Washington, dit-elle lorsqu'ils furent assis.

— C'est mon intention. Je vais tout te raconter – au point que tu ne voudras plus jamais entendre parler de la commission judiciaire du Sénat, mais d'abord je veux tout savoir de toi. Dis-moi que je ne vais pas devoir refuser ma nomination pour assurer ta défense dans l'affaire de l'empoisonnement du jeune M. Nichols. »

La dernière fois qu'elle avait parlé à Alex, Ryan la court-circuitait constamment dans son travail et elle le trouvait absolument insupportable. Laurie sourit. « Alors disons qu'il joue encore au petit chéri de Brett, et qu'il a un ego surdimensionné, mais il n'est pas complètement stupide.

— Formidable, voilà un commentaire enthousiaste ! dit Alex ironiquement en lui souriant de l'autre côté de la table, les yeux brillants.

— Pour être franche, les choses vont nettement mieux, ajouta-t-elle à regret. C'est toujours le pire présentateur de notre émission, mais ça fonctionne. »

Alex avait été le seul autre présentateur de *Suspicion*, et personne ne pourrait jamais l'égaler. Nous bavardons comme si les deux derniers mois n'avaient pas existé, se dit Laurie avec bonheur. Il m'a tellement manqué.

« J'accepte le compliment. » Il examinait le menu. « Tout a l'air délicieux. Tu es venue ici depuis qu'ils ont réouvert ? »

Le restaurant de Danny Meyer était l'un des préférés de Laurie mais elle n'y était pas retournée depuis qu'il avait changé d'adresse. Elle se rendait compte à présent qu'elle avait attendu de pouvoir y aller avec Alex. « Non, c'est la première fois. Et toi ?

— Moi aussi. » Il reposa le menu. « J'espérais y retourner avec toi.

— Et nous y sommes. »

Lorsqu'ils eurent fini les entrées, Laurie voulut entendre d'Alex, en détail, le déroulement du processus de confirmation de sa nomination par le Sénat.

« Les hommes politiques vivent dans un univers complètement à part. J'étais là, satisfait de ma carrière d'avocat d'assises. J'aurais été heureux de la poursuivre aussi longtemps qu'on me l'aurait demandé. Mais maintenant que j'ai été propulsé dans ce cirque de procédure de confirmation, tous me voient comme un juge potentiel à la Cour suprême. Ils essayent de deviner si je suis pour une interprétation stricte de la Constitution ou partisan du "réalisme juridique". Je leur ai dit que j'étais seulement un avocat qui connaît la loi et l'applique aux faits, ce que sont censés faire les juges d'une cour pénale. J'ai l'impression d'être le ballon dans un match entre les Giants et les Eagles.

— Mais ça se passe bien ? demanda-t-elle. Je ne peux imaginer meilleur candidat.

— Oh, eux le peuvent, crois-moi. Toutefois, la Maison Blanche m'assure qu'ils ne voient pas d'obstacle majeur à ma candidature. Mais figure-toi que pendant ce temps Ramon livre sa propre bataille : il a décidé de devenir vegan. Un régime qu'il a vu à la télévision. Il trouve qu'il a pris trop de poids à Noël. C'est un miracle qu'il n'essaye pas de me convertir.

— Il pourrait se mettre au yoga comme il t'y incitait l'année dernière », dit Laurie, riant à ce souvenir. Lorsque la tension d'Alex avait atteint des sommets, Ramon s'était comporté comme si on lui avait diagnostiqué un sérieux problème cardiaque.

« Ne ris pas, dit Alex, pouffant sous cape. Il m'a passé une musique douce dans la voiture pour venir ici. Il craignait que le voyage à Washington n'ait été trop éprouvant pour moi.

— C'est tellement gentil. Tu es comme sa famille pour lui.

— C'est réciproque. À propos, je dois remplir un tas de formulaires en indiquant toutes les personnes qui jouent un rôle important dans ma vie, même si elles ne font pas officiellement partie de ma famille. Ma seule famille biologique est Andrew, naturellement, et je ne peux pas ne pas y inclure Ramon. »

Quelque chose dans la manière dont il la regardait laissait clairement deviner que quelqu'un d'autre avait aussi sa place dans cette liste, mais le serveur arriva alors avec leurs plats, et Alex changea de sujet pour évoquer un scandale qui menaçait d'éclater à la mairie. Tandis que la soirée avançait, ils parlèrent de tout et de rien – des nouveaux restaurants qu'ils avaient essayés, des livres qu'ils lisaient en ce moment, de leurs flirts de jeunesse. Lorsque le serveur vint de nouveau leur demander s'ils désiraient autre chose, Laurie s'aperçut tout à coup qu'ils étaient les derniers clients du restaurant. Elle consulta sa montre. Ils étaient là depuis presque quatre heures, quatre heures qui lui avaient semblé trop courtes.

Alex demanda l'addition. Le serveur parut soulagé, mais quand il l'apporta, Laurie fut la plus rapide. « C'est moi qui t'ai invité, tu te souviens ?

— Très bien, dit Alex. Dans ce cas, la prochaine fois ce sera pour moi.

— D'accord.

— Alors, disons demain soir, si ce n'est pas trop tôt.

— C'est presque trop tard ! » dit-elle en riant.

Elle accepta qu'il la reconduise en voiture chez elle, où Leo gardait Timmy. Visiblement ravi de la revoir, Ramon lui demanda des nouvelles de Timmy. Quand ils furent presque arrivés, Alex passa son bras autour de ses épaules. La soirée s'était déroulée « sans effort », pour utiliser sa formule. Laurie ne considérait plus leur relation comme un projet compliqué. Elle ne se demandait plus à chaque instant où tout cela allait mener.

Alex lui avait demandé qui *il* était pour elle. Elle avait enfin une réponse à lui apporter. Il n'était pas qu'un collaborateur ou un ami, un copain pour son père, un pote pour Timmy. Ni même seulement un petit ami.

C'était Ivan Gray, étrangement, qui l'avait aidée à comprendre ce qu'elle voulait quand il avait lu sa demande en mariage à Virginia. *Mais tu m'as avoué aussi que j'étais ta deuxième chance de connaître le bonheur. Alors j'ai su que tu m'avais ouvert ton cœur*

et que je voulais partager ce bonheur avec toi jusqu'à
notre dernier souffle.

Alex était le prochain chapitre de son existence.
Elle était sûre que c'était ce que Greg aurait souhaité
pour elle. Et à présent il ne faisait plus aucun doute
que c'était ce qu'elle voulait elle, et ce dont elle avait
besoin.

53

Peter Browning ouvrit les yeux, ne sachant plus où il se trouvait. Puis il se souvint qu'Anna et lui avaient décidé de passer la nuit à Greenwich après le tournage. Marie s'occupait des enfants restés en ville. Il savait qu'Anna avait besoin d'un peu de calme dans cette maison qui avait été la résidence de ses parents. Et ils pourraient tranquillement réfléchir à l'interview de la veille.

Le réveil lumineux sur la table de nuit lui permit de voir que sa femme ne dormait pas. Elle regardait fixement le plafond. Le réveil indiquait 4 h 32.

Il passa un bras autour de sa taille.

« Je suis désolée, dit-elle. C'est moi qui t'ai réveillé à force de me tourner et de me retourner.

— Non », dit-il, bien qu'il fût certain du contraire. Il pensait souvent qu'un lien télépathique les unissait. Même dans son sommeil, il savait quand sa femme était anxieuse. « Depuis combien de temps es-tu réveillée ?

— Des heures. J'ai encore fait le même horrible cauchemar. » Il savait de quoi elle parlait. Elle l'avait fait des centaines de fois depuis que Virginia avait été assassinée, mais elle le lui répéta malgré tout. « Je la voyais debout sur la terrasse, dans sa superbe robe. Elle contemplait la ligne d'horizon au-dessus de Central Park South, sous la neige qui tombait. Puis elle s'est retournée, a regardé par-dessus son épaule et a dit "Ivan ?", exactement comme je l'ai toujours imaginé. Mais cette fois, ce n'était pas Ivan qui se tenait derrière elle. »

Elle essuya une larme et Peter l'attira plus près de lui. « Chut, ce n'était qu'un mauvais rêve, chérie. » Il ne la força pas à décrire son cauchemar jusqu'à la fin. Ils avaient passé la plus grande partie de la soirée à débattre de ses inquiétudes concernant son frère Carter.

« Et si ce n'était pas qu'un rêve ? Je voyais toute la scène. Il la suivait dans l'escalier, la harcelait à propos du testament. Tu as vu à quel point il était obsédé. Il était incapable de parler d'autre chose, même au gala. Et dans mon rêve, elle s'opposait à lui exactement comme elle s'était opposée à moi lorsque j'avais abordé le sujet la veille. Mais alors que j'avais renoncé à poursuivre, Carter, lui, continuait à insister. Il insistait, insistait, jusqu'à ce qu'elle lui dise qu'il n'avait pas gagné cet argent, exactement comme son père. Et alors, Carter… c'est affreux. Dans mon rêve il était debout au bord de la corniche, la regardant étendue sur le sol en bas, et il tombait à genoux en sanglotant.

— Sauf que toute la scène est le fruit de ton imagination, Anna. Tu ne l'as pas réellement vu.

— Mais je revois encore les images. Tu crois que je devrais lui parler avant son face-à-face avec Ryan ? »

L'équipe de *Suspicion* devait filmer Carter à midi dans les bureaux de Wakeling Development.

« Laisse ton frère se débrouiller tout seul pour une fois, dit Peter. Il y a trois ans, ta mère lui avait dit qu'il était temps de devenir adulte, et il n'a absolument pas changé. Regarde à quel point Tom a mûri dans le même intervalle, alors que Carter continue à se comporter comme un ado.

— Tu as raison, dit Anna, d'un ton déterminé. S'il s'est attaqué à notre mère, cette émission permettra peut-être de tout dévoiler. Et alors je saurai enfin ce qui s'est passé. »

Laurie consulta sa montre. Il était midi et quart, et la salle de conférences de Wakeling Development était encombrée d'appareils d'éclairage et de caméras, prête à accueillir leur témoin clé.

Ryan se leva quand la porte s'ouvrit, mais ce fut Jerry qui apparut, revenant de son expédition à la recherche de Carter Wakeling.

« Aucune trace de Carter ? » demanda Laurie.

Ils avaient passé les premières heures de la matinée à filmer les environs de Long Island City, témoins de la réussite de Robert Wakeling. Ils étaient arrivés au quartier général de Wakeling Development presque deux heures plus tôt pour organiser l'entretien dans une pièce qui offrait une vue panoramique sur Manhattan et l'East River. La secrétaire de Carter, Emma, les avait conduits dans la salle de conférences mais ils n'avaient aperçu aucun membre de la famille Wakeling jusqu'à présent, et maintenant Carter avait dix minutes de retard pour le face-à-face censé être le plus important de l'émission. Il aurait déjà dû arriver vingt minutes plus tôt pour se faire maquiller.

Jerry secoua la tête. « En tout cas, je me suis fait une nouvelle copine avec Emma. Elle dit que Carter était dans son bureau ce matin quand nous sommes arrivés, mais qu'il est parti à Manhattan à la recherche de sa sœur et Peter. Apparemment, Anna et Peter ont téléphoné à la première heure pour annuler tous leurs rendez-vous de la journée. Ils n'ont pas répondu aux appels de Carter quand il a essayé de les joindre. »

Laurie ne s'étonna pas que Jerry ait réussi à recueillir ces informations de première main. Il aurait été capable de faire parler des pierres.

« Il aurait fait tout ce trajet pour aller les chercher ? demanda Laurie. C'est plutôt étrange.

— C'est aussi l'avis d'Emma, dit Jerry. Apparemment, elle a tenté de le rassurer, lui a affirmé que leurs secrétaires respectives avaient eu Anna et Peter au téléphone quelques heures plus tôt, mais elle dit n'avoir jamais vu Carter aussi inquiet.

— Inquiet pour *lui-même*, compléta Ryan, basculant son fauteuil pour poser les pieds sur la table. Il est sans doute impatient de savoir ce qu'Anna et Peter ont dit au cours de leur entretien d'hier à Greenwich. »

Laurie en convint. Elle avait vu l'éclair d'anxiété dans le regard d'Anna la veille quand elle avait compris que son frère savait sans doute que leur mère était à l'époque sur le point de diminuer leur part d'héritage. « Selon moi, en apprenant que Penny Rawling avait informé Carter, Anna s'est résignée à envisager que son frère aîné ait pu tuer leur mère. Dans ce cas, Anna et Peter ont dû annuler leurs réunions d'aujourd'hui pour éviter de rencontrer Carter avant son face-à-face. »

55

Il était presque une heure de l'après-midi et Nick ne tenait plus en place quand la porte de la salle de conférences s'ouvrit brusquement et que Carter Wakeling apparut, l'air agité, passant les doigts dans ses cheveux ébouriffés.

« Désolé, j'ai été pris dans des embouteillages sur le pont, expliqua-t-il. Je crains que nous ne soyons obligés de remettre notre rendez-vous, madame Moran. »

Laurie joignit les mains en s'efforçant de prendre un air compréhensif. « La circulation en milieu de journée est un cauchemar. Heureusement, je pense que nous n'en aurons pas pour longtemps. Ryan et vous pourriez commencer l'entretien dès maintenant, et nous nous débrouillerons pour le boucler en quelques minutes afin de vous libérer au plus vite.

— J'ai peur que ce ne soit impossible. Peter et Anna ne sont pas au bureau aujourd'hui, et je suis surchargé de travail. »

Laurie regarda Jerry qui hocha discrètement la tête. Jerry était devenu assez copain avec Emma pour savoir quelles étaient les véritables obligations de Carter pendant le reste de la journée.

« Mon équipe au complet est en place depuis trois heures, Carter. Je vous en prie, asseyez-vous pour que nous puissions valider le tournage de votre témoignage. Inutile de se préoccuper de maquillage ou d'autre chose. On fait des merveilles au montage de nos jours, dit-elle avec un sourire rassurant.

— Cela n'a rien à voir avec mon apparence, rétorqua-t-il vivement. Ce n'est simplement pas possible aujourd'hui. Comme je vous l'ai dit, nous devons fixer un autre rendez-vous. »

Laurie insista à nouveau. « Votre cousin Tom pourrait peut-être assurer brièvement vos fonctions, suggéra-t-elle.

— Ça n'a aucun sens ! Il ne fait pas partie des dirigeants de la société ! »

Son visage était soudain rouge de colère. Une colère qui rappela à Laurie les crises incontrôlées de Timmy quand il était petit.

« Le calendrier de la production est très serré, poursuivit-elle fermement. Je ne peux pas garantir que nous pourrons revenir vous filmer.

— Sans vouloir vous froisser, c'est votre problème, pas le mien.

— Mais notre dessein est d'attirer l'attention sur le meurtre de votre mère dans l'espoir d'identifier l'assassin. J'aurais cru que vous seriez disposé à nous aider.

— Je sais déjà qui a tué ma mère – Ivan Gray ! »

Laurie remarqua que Nick ajustait quelque chose sur sa caméra. Elle savait qu'il avait tout enregistré et que l'autorisation signée par Carter leur permettait d'utiliser cette vidéo.

Elle s'éclaircit la voix et lança un coup d'œil à Ryan, toujours assis au bout de la table, mais qui avait reposé les pieds au sol. Il mit une seconde à saisir le message et se leva.

« Nous savons que Penny Rawling vous a révélé que votre mère avait l'intention de modifier son testament », lança-t-il soudain.

Carter ouvrit la bouche mais resta muet.

« Vous sortiez avec l'assistante de votre mère, poursuivit Ryan. Vous ne vouliez pas que le reste de la famille le sache, mais vous étiez aussi prêt à tout pour que votre sœur et Peter se joignent à vous pour empêcher votre mère de mettre ses plans à exécution.

— C'est ce qu'Anna et Peter vous ont raconté ? demanda Carter. Et Penny ? Qu'est-ce qu'elle vous a dit sur moi ? »

Il bouillait toujours de rage, mais semblait en même temps terrifié. Il était clair qu'il n'avait cessé de se demander ce que les autres avaient bien pu dire sur son compte et il en était malade. Laurie s'imagina quelle avait été sa réaction lorsque sa mère, trois ans auparavant, l'avait sermonné et traité d'ado le jour où il avait appris par Penny que leur héritage à sa sœur et lui allait être considérablement réduit. Avait-il crié contre Virginia comme il criait à présent ?

Ryan ne relâchait pas la pression. Il avança de deux pas en direction de Carter. Laurie espéra qu'il ne bloquait pas l'angle de vision de la caméra. « Vous avez eu une sérieuse dispute avec Peter juste avant le dîner du gala. Vous avez dit à Peter et à Anna qu'il fallait empêcher votre mère de modifier son testament – *par tous les moyens.*

— Cet argent n'était pas plus à elle qu'à nous ! siffla Carter. Mon père avait mis son cœur et son âme dans cette société. Il voulait que le nom des Wakeling devienne aussi célèbre que celui des Vanderbilt ou des Rockefeller. Cela devait être notre héritage. Et elle s'apprêtait à le brader. Bien sûr que j'estimais qu'il fallait l'en empêcher à tout prix. Ce qu'elle s'apprêtait à faire était d'une incroyable stupidité. »

Il était presque à bout de souffle en terminant sa tirade. Le silence retomba et soudain il regarda Nick derrière la caméra.

« Vous êtes en train de filmer ? cria-t-il. Coupez ça ! Immédiatement ! »

Il se précipita sur Nick, les bras tendus. Laurie tenta de l'arrêter, trop tard. Ryan s'élança pour stopper Carter dans son élan.

Carter leva le poing. Le coup atteignit Ryan sur le côté gauche de la mâchoire. Il riposta par un uppercut au menton qui projeta la tête de Carter en arrière et lui fit perdre l'équilibre, l'envoyant valdinguer contre la table de conférences, où Ryan lui bloqua les bras dans le dos.

« Du calme, mon vieux, ordonna Ryan. Vous n'aurez pas ce film, et vous donnez une piètre idée de vous. »

Laurie vit Carter se détendre comme s'il se résignait à son sort. Ryan relâcha lentement sa prise, mais se tint sur la défensive jusqu'à ce que Carter recule vers la porte en se frottant le menton.

« Vous êtes tous *malades* si vous croyez que j'aurais pu faire du mal à ma mère », cria-t-il. Puis il les menaça d'un doigt rageur. « Vous entendrez parler de moi par mes avocats. Ivan Gray est un assassin. Vous êtes donc trop bouchés pour le comprendre ? »

Il leur tourna le dos et claqua la porte en sortant.

Dès qu'il fut parti, Laurie et Jerry se précipitèrent vers Ryan.

« Ça va ? demanda Laurie.

— Ouais, tout va bien, dit-il en remuant la mâchoire pour s'en assurer. Je n'ai pas vu arriver le coup de ce salaud, mais je l'ai proprement arrangé ensuite, hein ?

— C'est certain », approuva Laurie. Malgré le nombre de fois où elle l'aurait volontiers giflé, elle n'était pas fâchée que Ryan n'ait rien de cassé.

Les machinistes démontèrent le matériel en un temps record, et tous se hâtèrent hors de l'immeuble.

Au moment où Nick et le reste de l'équipe s'apprêtaient à monter dans leur camion, Ryan courut vers eux. « Vous avez tout pris, j'espère ? demanda-t-il. Carter en train de hurler contre moi, puis m'assénant un coup de poing et moi qui lui en colle un en retour. Ce sera la scène la plus formidable de l'émission. »

Nick leva le pouce en guise de réponse et referma la portière du camion.

« Génial, dit Ryan visiblement content de lui en montant dans le 4 × 4 qui devait le ramener avec

56

Laurie s'éloigna du tableau où était affiché le conducteur de l'émission et admira leur œuvre. Jerry et elle avaient travaillé fébrilement durant les deux dernières heures.

« Ce doit être un record, annonça-t-elle. C'est incroyable !

— Pourtant on l'a fait. » Jerry se leva de la table de réunion et fit le geste de la victoire. « On a fini de tourner ! »

Ils avaient préparé un storyboard de l'épisode complet, scène par scène. Entre la prestigieuse fête annuelle au Metropolitan Museum et le mystère entourant l'affaire Wakeling, Laurie était certaine qu'ils tenaient là un succès. L'émission avait apporté son lot de révélations : la décision de Virginia de réduire la part de sa famille dans sa succession, et l'affolement de son fils Carter quand il avait eu vent de ce projet. Mais il était inhérent à la nature de Laurie de vouloir chercher de nouvelles pistes d'investigation.

Elle savait qu'il était irréaliste d'espérer résoudre les crimes à chaque fois mais elle ne pouvait s'empêcher d'éprouver une certaine déception. S'ils s'arrêtaient là où ils en étaient aujourd'hui, Ivan Gray continuerait d'être l'objet de soupçons, tout comme Carter Wakeling à présent. Même les malheureux Anna et Peter étaient impliqués jusqu'à un certain point, pour n'avoir jamais révélé les inquiétudes de Carter à propos du testament. Ils n'avaient pas aidé le tueur volontairement, mais avaient fait passer la réputation de la famille avant l'enquête.

« Je vais faire un premier montage, dit Jerry. On prend un verre après le boulot pour fêter ça ?

— Ça ne t'ennuie pas de reporter à la semaine prochaine ? Je suis prise ce soir. » Elle revoyait Alex. À cette pensée, son visage s'éclaira. Entre-temps, elle devait passer un coup de fil.

Son père répondit à la première sonnerie.

« Allô, papa ? Est-ce que je peux te casser les pieds avec une question de boulot ?

— Tu ne me déranges jamais. »

Laurie, Timmy et Leo partageaient un logiciel de géolocalisation sur leurs portables. Avant d'appeler, elle avait déjà vérifié que Leo était rentré chez eux après avoir récupéré Timmy à l'école. Il était heureux de garder son petit-fils une deuxième soirée de suite, surtout après avoir appris que c'était pour permettre à Laurie de revoir Alex.

« La bonne nouvelle est que nous avons vraiment fait sortir Carter Wakeling de ses gonds aujourd'hui. Il est arrivé avec une heure de retard pour son entretien et a essayé de se défiler. Quand nous lui avons révélé que nous étions au courant de sa relation avec Penny et des projets de sa mère concernant son testament, il a perdu les pédales et fichu un coup de poing à Ryan. Un sacré direct. Il ne se contrôlait plus.

— Laurie, il aurait pu s'en prendre à toi.

— Je sais. Il pourrait m'agresser moi ou quelqu'un d'autre. Je l'ai vu sous un jour tout à fait effrayant, il était complètement imprévisible. Il exigeait de savoir ce qu'Anna, Peter et Penny nous avaient révélé.

— Mon principal souci, c'est toi, dit vivement Leo. Ce qui n'empêche pas que les autres pourraient aussi être en danger.

— Papa, je ne sais pas quoi faire. D'un côté, je souhaite bien entendu garder secret l'avancement de notre enquête jusqu'à ce que l'émission passe à l'antenne. Et de l'autre, je ne me pardonnerais jamais s'il se passait quoi que ce soit parce que je n'aurais pas fait part d'une menace éventuelle aux autorités compétentes.

— Fais-moi confiance sur ce point, lui dit Leo. Ce serait une contre-publicité majeure pour ton émission si un accident se produisait parce que tu aurais délibérément gardé un nouvel indice pour toi. Et la police pourrait ne plus jamais coopérer avec toi. »

Il n'eut pas besoin de s'étendre davantage : Laurie savait à quel point la réputation de Leo auprès de ses anciens collègues l'avait aidée à développer de bonnes relations avec la police. En échange, elle avait l'obligation de se montrer plus coopérative avec eux que d'autres journalistes.

« Puis-je faire une suggestion ? demanda Leo. Si je prenais contact avec Johnny Hon et lui parlais de ce que tu as appris ? Il pourrait évaluer l'importance de ces nouveaux éléments pour l'enquête officielle et décider de la marche à suivre. Je crois qu'on peut lui faire confiance. »

Laurie ne mit pas longtemps à accepter la proposition. Mettre l'inspecteur Hon au courant lui semblait raisonnable. Il n'était pas du genre à laisser fuiter des scoops et, de toute façon, l'essentiel c'était la sécurité des témoins potentiels. Si Carter était l'assassin, et craignait d'être démasqué, il pouvait se montrer dangereux.

« C'est une bonne idée, papa. Tiens-moi au courant. Et merci.

— Heureux de pouvoir t'aider. Mon seul souhait en échange est que tu profites de ta soirée. »

Elle raccrocha. Ce souhait ne serait pas difficile à exaucer.

Il lui restait à trier le courrier accumulé sur son bureau depuis le matin. Elle y trouva une enveloppe brune qui lui était adressée par le tribunal des successions. Elle ouvrit l'enveloppe et alla demander à Grace de vérifier si Ryan était disponible. C'était lui qui avait demandé une copie du testament de Robert Wakeling pour le comparer à celui de Virginia. Son expérience dans le domaine judiciaire lui serait utile.

Grace secoua la tête. « Je l'ai vu sauter dans l'ascenseur en allant à la photocopieuse. J'imagine qu'il avait hâte de raconter à Ivan son match de boxe inopiné avec Carter Wakeling. »

Laurie leva les yeux au ciel. Ryan avait été parfait devant les caméras, il s'était montré objectif, mais sa loyauté envers Ivan l'inquiétait.

57

Laurie regagna son bureau et retira les documents que renfermait l'enveloppe. Sans surprise, elle contenait le testament commun de Robert et Virginia Wakeling, qui avait été présenté au tribunal des successions après le décès de Robert.

Ensuite elle parcourut le dossier que lui avait confié Johnny Hon et y trouva une copie du testament de Virginia, tel qu'il était au moment de sa mort. Elle connaissait déjà la composition de son patrimoine. Elle savait aussi comment les actifs qui le constituaient avaient été répartis à la mort de Robert : la moitié des actions de la société revenait à Virginia, un quart à chaque enfant, et Virginia héritait du reste des biens.

Ce qui piqua la curiosité de Laurie, c'étaient les annexes du testament commun, qui réglaient ce qui se passerait dans le cas improbable où Robert et Virginia disparaîtraient simultanément.

Laurie avait pris un bloc-notes pour noter les éventuelles différences entre ces dernières dispositions et le testament de Virginia. Les similarités étaient frappantes, ce qui n'avait rien d'étonnant. Quand Greg et elle avaient rédigé un testament juste après la naissance de Timmy, les clauses en étaient simples : si l'un disparaissait, l'autre recueillait tout l'héritage ; s'ils mouraient en même temps, la situation était plus compliquée, et le testament prévoyait que Leo et quelques amis de la famille prendraient soin de Timmy. Quand Laurie s'était soudain retrouvée veuve, son avocat avait utilisé le « testament de secours » – les dispositions applicables au cas où tous les deux disparaissaient en même temps – comme guide pour la rédaction du testament individuel de Laurie.

En comparant le testament à celui qu'elle avait signé avec son époux quand il était encore en vie, il lui semblait que Virginia avait adopté la même approche. Son testament était rédigé dans les mêmes termes que le testament commun.

Laurie vérifiait une dernière fois tous les éléments chiffrés quand elle constata l'existence d'une divergence significative. Dans le testament commun, Tom, le neveu de Robert, aurait hérité de deux cent cinquante mille dollars au cas où Robert et Virginia auraient disparu en même temps. Comme Robert avait devancé Virginia, cette disposition n'avait jamais été appliquée, et Virginia avait hérité de presque tout. Mais alors que le testament de Virginia était quasiment un copier-coller du testament joint, elle avait cependant apporté une modification : à sa mort, le legs de Tom était réduit à cinquante mille dollars.

Laurie inscrivit les deux nombres côte à côte sur son bloc, cherchant la signification de ce changement. Étant donné que quand elle avait été assassinée la fortune de Virginia se montait à environ deux cents millions de dollars plus la moitié de la valeur de la société. Ce n'était qu'un minuscule pourcentage des sommes en jeu. D'un autre côté, pour la plupart des gens les deux montants étaient significatifs, et la diminution de quatre-vingts pour cent de la part revenant au neveu constituait un changement notable. C'était la seule révision qui avait été faite, et il était évident qu'il devait y avoir une raison.

Laurie ferma les yeux, essayant d'imaginer comment se comporterait quelqu'un à la tête d'une telle fortune. Elle avait la certitude qu'à la place de Virginia, la seule raison qui l'aurait poussée à réduire la part d'héritage de son neveu – et de lui seul – était sa défiance vis-à-vis de lui pour tout ce qui touchait à l'argent. Elle repensa au récit que lui avait fait Anna de la dispute de sa mère avec ses enfants avant d'être assassinée. Elle avait dit à Carter qu'il était temps de devenir adulte, elle lui reprochait de courir les filles et de ne pas prendre au sérieux son travail dans la société. Anna avait rapporté ses propos : « Sans l'argent de la famille, tu finirais comme ton cousin Tom. »

Laurie avait éliminé Tom de la liste des suspects après confirmation de son alibi avec Tiffany, mais elle voulait s'assurer qu'aucun détail ne lui avait échappé avant de finaliser leur émission.

Elle décrocha son téléphone et composa le numéro du portable d'Anna Wakeling. Anna avait un ton inquiet quand elle répondit. « Qu'est-il arrivé aujourd'hui ? Je vous en prie, ne me dites pas que c'est mon frère qui l'a tuée.

308

— L'entretien ne s'est pas très bien passé, commença Laurie. Il n'a rien avoué, mais il était visiblement sur la défensive.

— Sait-il ce que nous vous avons dit, Peter et moi ?

— Oui. Je suis désolée, Anna, mais cela fait partie de notre méthode. Avez-vous peur de votre frère ?

— Non. Du moins, je ne crois pas. Je voudrais seulement en être certaine. C'était éprouvant de vivre sans connaître la vérité, mais je me suis toujours raccrochée à l'idée que ce n'était qu'une question de temps avant que la police trouve des preuves contre Ivan. Maintenant je ne sais plus quoi penser. »

Laurie savait que toute parole de consolation serait vaine. « Je peux seulement vous dire que nous faisons notre possible pour découvrir la vérité. Et dans ce but, j'aimerais vous poser une question à propos de votre cousin Tom. » Elle expliqua ce qu'elle avait appris concernant la révision de la somme léguée à Tom par Virginia. « Du vivant de votre père, il était prévu de léguer à Tom deux cent cinquante mille dollars.

— Mon père était en conflit permanent avec son frère, mais il avait un faible pour Tom. Il estimait son frère responsable de sa légèreté. Ma mère était moins bienveillante. Elle considérait que Tom profitait de notre famille. Je ne suis pas surprise qu'elle ait modifié les dispositions prises par papa. Certes les cinquante mille dollars dont il a hérité représentaient une grosse somme pour lui, étant donné la situation qui était la sienne il y a trois ans, mais Carter et moi nous nous sentions tout de même coupables. C'est pour cette raison que nous avons décidé de lui offrir un job dans la société quand il l'a demandé. Nous avons tous tourné la page. »

La situation qui était la sienne il y a trois ans. Anna avait précédemment mentionné l'absence d'emploi régulier de Tom et son penchant pour le jeu. « Pardonnez-moi de vous poser cette question, Anna, après celles que nous avons aussi soulevées concernant Carter, mais avez-vous jamais envisagé la culpabilité de Tom ?

— Non, mais je disais la même chose de Carter jusqu'à hier. D'après mes souvenirs, Tom et la fille qui l'accompagnait s'étaient faufilés dans la galerie des portraits. La fille était plutôt excentrique, mais je ne vois pas pourquoi elle mentirait à la police pour le couvrir. Lui avez-vous parlé ?

— Oui, dit Laurie. Elle a confirmé qu'elle n'avait pas quitté Tom de la soirée.

— Bon, au moins je n'ai aucune raison de le soupçonner, lui, dit Anna tristement. Je vous en prie, au cas où vous apprendriez quelque chose concernant Carter, promettez-moi de me le faire savoir.

— Je vous le promets », dit Laurie.

58

L'inspecteur Johnny Hon raccrocha et réfléchit aux informations que Leo Farley venait de lui communiquer. Anna Wakeling et son mari n'avaient jamais révélé à la police la véhémence avec laquelle, quelques heures avant le meurtre de Virginia, Carter les avait suppliés de l'empêcher de modifier son testament. En réalité, c'était la première fois que quelqu'un corroborait le témoignage d'Ivan Gray.

S'il avait disposé de cette information en d'autres circonstances, Hon se serait probablement arrangé pour interroger de nouveau tous les témoins. Mais Leo Farley était d'avis de laisser sa fille poursuivre son enquête pour le moment. Ne travaillant pas pour le gouvernement, elle n'avait pas à se plier à des règles telles que l'avertissement Miranda qui garantit le droit au silence et à un avocat lors d'une arrestation, et était plus à même de persuader certains témoins de lui fournir des informations qu'ils ne souhaitaient peut-être pas livrer à la police. Hon devait reconnaître qu'il avait fallu à peine deux semaines à Laurie pour marquer des points dans cette affaire, alors que rien n'avait bougé pendant trois ans.

D'un autre côté, Carter était pour lui un sujet d'inquiétude. Quelqu'un d'assez instable pour frapper le présentateur d'une émission de télévision nationale était capable d'exercer des représailles, ou pire, de se venger contre un témoin qui l'aurait impliqué.

Il pianota sur son bureau en formica, évaluant ses options. D'après Leo, Carter se trouvait au siège de Wakeling Development depuis le début de l'après-midi. Il trouva l'adresse à Long Island City sur Google et attrapa sa veste suspendue au dossier de sa chaise. Il allait essayer de mettre la main sur Carter au moment où il quittait son bureau et, de là, le suivre à la trace, au cas où.

59

« Maman, je suis si contente que papa et toi soyez revenus à la maison. » Vanessa faisait des sauts sur le canapé à côté d'Anna. C'était la troisième fois que sa fille mentionnait qu'elle lui avait manqué quand ils avaient passé la nuit dans le Connecticut. Pendant ce temps, son frère aîné, Robbie, totalement insensible à leur absence, s'était précipité sur son jeu vidéo en rentrant de l'école.

« Tu m'as manqué aussi, ma chérie », dit Anna, en la serrant brièvement dans ses bras. Elle courut ensuite à la cuisine pour aider Kara à ranger les courses. Si seulement ses parents avaient vécu assez longtemps pour voir grandir leurs adorables petits-enfants !

Elle consulta sa montre. Cinq heures. Son cousin, Tom, était sûrement encore au bureau. Il était toujours un des premiers arrivés et un des derniers à partir.

Il décrocha presque aussitôt. « Peter et toi vous vous êtes bien amusés pendant votre escapade ? » demanda-t-il.

Quand elle avait appelé dans la matinée pour annuler tous les rendez-vous, elle avait demandé à Tom d'aller à sa place inspecter un site à Astoria qu'ils envisageaient pour un projet immobilier. Elle lui avait dit que Peter et elle avaient besoin de s'échapper vingt-quatre heures, sans mentionner qu'ils cherchaient à éviter Carter. Maintenant qu'elle était de retour en ville, ses inquiétudes concernant l'attitude de son frère lui paraissaient exagérées. Il avait juste piqué une colère. C'était Ivan Gray qui avait tué sa mère. Elle en était certaine, et elle n'allait pas laisser un quelconque programme de télévision lui brouiller les idées.

« Je ne dirais pas exactement que nous nous sommes amusés, répondit-elle. Les gens de *Suspicion* étaient au bureau ce matin pour interviewer Carter. Après avoir eu affaire à eux hier, j'étais contente de les éviter.

— Carter semblait bouleversé, cet après-midi, dit Tom. Je lui ai demandé ce qui n'allait pas, mais il est parti furieux dans son bureau. Je crois que les producteurs de cette émission lui ont tapé sur les nerfs, à lui aussi. »

Anna était trop épuisée pour évoquer la cascade d'émotions qu'elle avait éprouvées depuis sa première entrevue avec Laurie Moran. « Il m'en veut probablement d'avoir décidé qu'il valait mieux, pour la réputation de la famille, coopérer avec la production. Ils se sont montrés beaucoup plus inquisiteurs que je ne l'aurais imaginé et ne laissent vraiment rien au hasard. Ils m'ont même posé des questions sur cette cinglée que tu avais amenée au gala.

— Tiffany.

— Oui. Ils m'ont aussi interrogée à ton sujet.

314

— Sans blague. J'ai discuté une fois au bureau avec cette productrice et je n'en ai plus jamais entendu parler.

— Tu as de la chance, dit Anna ironiquement. Bon, je t'appelais simplement pour savoir s'il y avait eu des problèmes sur le site cet après-midi.

— Absolument aucun, lui affirma Tom.

— Merci, Tom. Vraiment. Parfois je ne sais pas ce que je ferais au bureau sans toi. » En fait, à son avis, Tom contribuait davantage à la bonne marche de Wakeling Development que son propre frère, mais elle repoussa cette pensée. Elle se reprochait encore d'avoir pu envisager que Carter soit impliqué dans le meurtre de leur mère.

« À ton service, Anna. Ne t'en fais pas. »

60

Penny reconnut le numéro – après presque trois ans de silence radio, c'était la deuxième fois qu'il appelait en une semaine.

« Allô ? dit-elle, s'efforçant de prendre un ton détaché.

— Bonjour, Penny. Carter Wakeling à l'appareil. » Sa voix était calme, déterminée.

Penny tira machinalement sur le blazer bleu qu'elle portait par-dessus sa robe. Elle ne se souvenait pas d'avoir jamais entendu Carter s'adresser à elle si cérémonieusement.

« Pour quelle raison téléphones-tu ? demanda-t-elle, essayant de garder un ton impersonnel.

— Est-ce que les gens de *Suspicion* t'ont interrogée ? »

Tentée de nier, elle se rendit compte qu'il pourrait l'apprendre de la production elle-même.

Elle choisit ses mots avec soin : « On a eu une brève conversation. Je pense qu'ils voulaient échanger quelques mots avec *l'ancienne assistante* de ta mère. »

Elle prononça ces mots d'un ton venimeux.

« Je sais que tu leur as parlé des notes de ma mère et de son testament. »

Que décelait-elle dans le ton de sa voix ? De la colère envers elle ?

« Oui, en effet. Pourquoi me serais-je abstenue ? » répondit Penny.

Il y eut un long silence. Puis Carter lâcha : « Penny, il faut que je te voie. Où es-tu ? Je viens te chercher. »

Elle avait envie de savoir ce qu'il avait à lui dire, mais ne voulait pas se retrouver seule avec lui dans sa voiture. « D'accord, mais retrouvons-nous plutôt au Grainne Cafe, à Chelsea dans la 9ᵉ Avenue. »

Carter accepta aussitôt. Mais son ton avait changé. C'était comme s'il s'efforçait de garder son calme. Pourquoi ? se demanda Penny. Était-il possible que ce soit lui qui ait suivi sa mère sur la terrasse ?

61

Assise à son bureau, Laurie était en train de surfer sur internet quand elle reçut un texto de son père. *Appelé Hon et l'ai mis au courant. Il apprécie de rester dans le circuit. Semble préférer une approche « attendre et voir ce qui se passe ». On croise les doigts.*

Elle tapa un rapide *merci* et l'envoya. Papa a suffisamment participé à l'émission pour mériter d'être cité comme consultant, pensa-t-elle, mais il jure que la dernière chose qu'il souhaite est de devoir se coltiner Brett Young.

Elle reporta son attention sur l'écran de son ordinateur. Elle consultait les posts de Tom Wakeling sur Facebook publiés trois ans plus tôt. À peine quelques heures avant le meurtre de sa tante Virginia, il avait posté un selfie pris au gala du Met. *En smoking avec la crème de la crème.*

Le fait que Virginia ait passé outre au désir de son mari de laisser un legs plus conséquent à son neveu turlupinait toujours Laurie. Virginia avait envisagé de léguer à des institutions caritatives la totalité de sa fortune en dehors de la société, mais sa décision de réduire *uniquement* la part de Tom ne relevait plus de la philanthropie. C'était une affaire d'ordre personnel.

Plus elle en apprenait sur « l'ancien Tom » grâce à ses messages jadis postés sur les réseaux sociaux, plus Laurie comprenait pourquoi Virginia avait refusé de lui confier d'importantes sommes d'argent. D'après ce qu'elle pouvait glaner sur Facebook, il semblait que Tom fréquentait les casinos d'Atlantic City et du Connecticut au moins deux fois par mois. Elle se souvint qu'Anna avait mentionné l'addiction au jeu de son cousin. Il avait peut-être des dettes. Les cinquante mille dollars dont il avait hérité à la mort de sa tante étaient peu de chose comparés à la fortune des Wakeling, mais ils auraient pu suffire à le tirer d'un mauvais pas. Et une fois ses cousins détenteurs de la société, ils s'étaient accordés pour lui donner sa chance en lui offrant un job, dont il s'était révélé parfaitement digne.

Elle fut tirée de ses pensées par le téléphone. Le nom d'Alex s'affichait sur l'écran.

« Hello, Votre Honneur. J'ai hâte de dîner avec vous ce soir.

— Moi aussi. C'est à ce sujet que j'appelle. J'ai retenu une table à sept heures au Marea, si cela te convient. »

Laurie ayant organisé la soirée de la veille, Alex avait insisté pour se charger des réservations du jour. « Tu ne peux pas savoir à quel point. » C'était le restaurant où il l'avait invitée à dîner la première fois.

« Je passe te prendre ?

— Je ne sais pas exactement où je serai. J'aurais aimé faire un crochet par la maison pour voir Timmy si j'ai le temps, mais je partirai peut-être directement d'ici. » Il était déjà cinq heures. « Je suis en train de fouiller dans de vieux messages postés par un témoin sur les réseaux sociaux. Il y a un truc qui me tarabuste et je n'arrive pas à m'en débarrasser.

— Comme c'est étrange venant de toi ! dit-il en riant. Tu préfères que nous dînions plus tard ?

— Sûrement pas. Mais retrouvons-nous plutôt sur place. » Cette conversation rappellerait malheureusement à Alex qu'accepter d'être avec elle, c'était accepter son fils et sa carrière.

« Ça marche, dit-il.

— Vivement ce soir », murmura Laurie.

Une fois la conversation terminée, ses pensées revinrent à Tom Wakeling. Elle se répéta qu'il était temps d'abandonner cette piste. Tiffany avait été catégorique : Tom était resté avec elle toute la soirée. Comme Anna l'avait fait remarquer, Tiffany était excentrique mais elle n'avait aucune raison de mentir pour protéger un homme avec lequel elle était sortie deux fois trois ans plus tôt.

Et soudain, Laurie se rendit compte que la raison du déclenchement de l'alarme pendant le gala était là devant elle, depuis le début. Ivan et la famille Wakeling n'avaient-ils pas mentionné à plusieurs reprises le comportement extravagant de Tiffany cette nuit-là ? Elle n'arrêtait pas de vanter sa grand-mère danseuse de cabaret, qui avait prétendument eu une aventure avec le président Kennedy et dont les robes, disait-elle, auraient mérité de figurer aux côtés de celles des premières dames.

Et si Tiffany avait eu pour affirmer qu'elle était restée avec Tom toute la nuit une raison qui n'avait rien à voir avec lui ? Si elle avait volé le bracelet et déclenché l'alarme, c'était qu'elle tentait de se couvrir elle-même. Tom n'aurait alors pas d'alibi. C'était probable ou du moins possible.

Mais comment amener Tiffany à l'avouer ?

Laurie eut soudain une idée. Elle composa le numéro que lui avait indiqué la jeune femme qui répondit presque aussitôt.

« Tiffany, ici Laurie Moran de *Suspicion*. Je voulais simplement vous remercier encore une fois pour votre participation et vous annoncer que l'épisode sera diffusé le jour de la Saint-Valentin. Je voulais aussi vous faire parvenir un petit cadeau de la part du studio. À quelle adresse dois-je le faire envoyer ? »

Étant donné la nature de l'activité de sa société « Mariage Mobile », Laurie supposa qu'elle travaillait chez elle.

Tiffany lui indiqua une adresse dans Queens, que Laurie entra immédiatement dans Google Maps. « Ce n'est pas grand-chose, dit Laurie, tout en cherchant à situer l'immeuble dans *street view* sur Google. Nous faisons fabriquer quelques objets dérivés de nos émissions.

— C'est très gentil de votre part. »

Laurie regardait sur l'écran un bâtiment en brique de style Tudor. Certainement un immeuble d'habitation. « Nous allons vous le faire porter sans attendre, dit-elle, ajoutant : Je crois connaître cette partie de Queens. Forest Hills ? Un quartier charmant.

— C'est en fait la maison de ma grand-mère Molly, où elle m'a élevée. J'y suis revenue quand elle a eu besoin que je m'occupe d'elle, mais elle est en maison de retraite. Malgré tout, j'ai toujours le sentiment que c'est chez moi. »

Laurie remercia de nouveau Tiffany pour son aide. Son appel suivant fut pour Charlotte.

« Salut ma belle, lui dit Charlotte, j'allais justement t'appeler. Tu as le temps de prendre un verre après le bureau ? Je meurs d'impatience de t'entendre raconter ton dîner d'hier avec Alex.

— C'était parfait, absolument parfait. D'ailleurs, nous remettons ça ce soir, donc le verre sera pour plus tard. »

Ses « plus tard » commençaient à se multiplier.

« Dommage, mais je suis heureuse pour toi. Tu donnais bien le change, mais je voyais quand même qu'il te manquait.

— Je n'ai pas le temps de boire un verre ce soir, mais je voudrais te voir une heure ou deux si c'est possible. Une autre faveur pour l'émission.

— La dernière fois que tu as fait appel à moi, j'en ai profité aussi. J'ai engagé Marco Nelson pour assurer la sécurité de notre défilé de printemps.

— Tant mieux, dit Laurie. Je craignais de lui avoir fait perdre son temps en le convoquant à ton bureau.

— Pas du tout. Ç'a été tout bénéfice pour lui.

— Honnêtement, Charlotte, cette fois quelques pieux mensonges ne suffiront pas. En gros, il faudrait que tu te fasses passer pour quelqu'un d'autre. Le témoin n'est pas quelqu'un de dangereux, plutôt une femme un peu écervelée. J'ai besoin qu'elle réponde à certaines questions. Mais je comprendrais parfaitement que tu n'aies pas envie d'être impliquée.

— Ne sois pas stupide. J'adore jouer les détectives. On se retrouve où ?

— Je saute dans un taxi et je te prends devant ton bureau dans dix minutes.

— Houlà, c'est rapide, mais je vais m'arranger.

— Pardon pour la précipitation, mais la personne que nous devons voir est chez elle en ce moment, il n'y a pas un instant à perdre. » Laurie raccrocha, espérant qu'elle parviendrait à soutirer la vérité à Tiffany à temps pour retrouver Alex à l'heure prévue.

62

Alex contempla le projet de document qu'il transpor-
tait avec lui depuis bientôt deux semaines. Un assistant
de la commission judiciaire du Sénat avait téléphoné le
matin même, l'avertissant que sa nomination pourrait
être retardée s'ils ne commençaient pas immédiatement la vérification des renseignements personnels
qui lui étaient demandés. Il avait promis d'envoyer les
réponses le lendemain matin au plus tard.

Chaque section était remplie, excepté une question :
*Veuillez fournir les renseignements biographiques de
toute personne jouant un rôle similaire ou comparable
à celui des individus énumérés ci-dessus dans les paragraphes (a) et (b), indépendamment de tout lien légal
et n'entrant pas dans le cadre d'une définition formelle
de la famille – concubins, colocataires occasionnels ou
personnes à charge (adoptées ou non), etc.*

Alex fit pivoter son fauteuil, secoua la souris de
son ordinateur pour le remettre en marche, et afficha
le document.

Il inscrivit trois noms : Laurie Moran, Timothy Moran
et Leo Farley. Il connaissait les dates de naissance de

Laurie et de Timmy de mémoire, et il rechercha celle de Leo sur internet. Il n'avait revu Laurie qu'une seule fois après toutes ces semaines de silence, cependant s'il lui avait fallu répondre à la question sur-le-champ, il aurait parié sans hésiter qu'il partagerait l'avenir de la femme qu'il aimait.

Johnny Hon était assis immobile au volant de son Impala de service, stationnée de l'autre côté de la rue en face du siège de Wakeling Development. Il avait déjà vérifié les plaques des voitures garées dans les espaces réservés près de l'entrée. La Range Rover noire avec le numéro personnalisé « Wake2 » appartenait à Carter Wakeling.

Il regarda sa montre. Cinq heures trois minutes. Le fils de Virginia Wakeling ne lui avait pas donné l'image d'un bourreau de travail quand il avait rencontré la famille durant son enquête. À son avis, Carter n'allait pas s'attarder beaucoup plus longtemps à son bureau.

Bingo. Trois minutes plus tard, l'homme se dirigeait vers sa voiture et démarrait. Il avait pris quelques kilos durant les trois années écoulées, mais paraissait toujours jeune pour son âge. Il avait l'air inquiet, aussi.

Quand la voiture de Carter sortit du parking, Hon la suivit, gardant un demi-bloc de distance entre eux.

64

Laurie donna au chauffeur de taxi l'adresse du bureau de Charlotte. Sans perdre de temps, elle appela Sean Duncan sur son téléphone portable, soulagée qu'il décroche. « J'avais peur qu'à cinq heures, vous soyez déjà parti, dit-elle.

— Il semble que cela ne m'arrive jamais, malheureusement.

— J'ai une question à vous poser. Deux des invités au gala du Met ont déclaré qu'ils se trouvaient dans la galerie des portraits de l'aile américaine au premier étage du musée au moment où Virginia Wakeling a été tuée.

— C'est tout à fait possible. Les invités ont du mal à se plier au règlement pendant une réception. Vous n'imagineriez pas le nombre de célébrités qui se croient le droit d'allumer une cigarette – et parfois pire – en plein milieu de la fête. »

Laurie se souvint que Tiffany leur avait dit être montée furtivement à l'étage avec Tom. *On s'est faufilés tous les deux au premier étage. Il n'y avait personne*

en vue – je veux dire, absolument personne. C'était
impressionnant. On a tout visité.

« Vous avez dit que la plupart des caméras ne fonctionnaient pas parce que vous profitez de ce genre de
soirée pour tester et moderniser le matériel dans les
endroits fermés au public.

— C'est exact.

— Une des personnes qui se sont introduites au premier étage a dit qu'elle s'y était promenée avec quelqu'un
d'autre sans rencontrer personne. Est-ce possible ?

— C'est peu probable. Il aurait dû y avoir des
ouvriers en train de vérifier les caméras à l'arrêt. Pas en
grand nombre, naturellement. Je suppose que quelqu'un
aurait pu monter sans être repéré, mais à condition de
prendre pas mal de précautions – se cacher dans les
coins, ce genre de truc.

— Ce n'est pas ce que cette femme a raconté. Elle
a dit très clairement qu'ils avaient visité les galeries,
entièrement seuls.

— Non, s'ils avaient exploré tout l'étage, ils auraient
obligatoirement dû rencontrer des ouvriers.

— Je comprends.

— Vous semblez progresser dans votre enquête.

— Je l'espère. » Elle le remercia avant de couper
la communication.

Elle était convaincue depuis le début que le déclenchement de l'alarme et le crime étaient liés. Pour
la police, l'assassin ou un complice avait déclenché
l'alarme pour créer une diversion pendant que le tueur
suivait Virginia sur la terrasse. Mais selon Laurie,
cette théorie ne tenait pas la route : pourquoi choisir

cet endroit en plein milieu de l'exposition d'où il était difficile de s'échapper ?

Maintenant, elle voyait clairement ce qui avait pu se passer cette nuit-là.

L'impulsive et excentrique Tiffany avait sans doute dérobé le bracelet sur le mannequin de Jackie Kennedy, déclenchant l'alarme. Quand la police était arrivée – alertée non par le vol, mais par le meurtre de Virginia –, elle avait interrogé les invités sur leurs allées et venues. Tiffany avait alors avoué à Tom qu'elle avait volé le bracelet et lui avait demandé de la couvrir. En soi, errer dans la galerie était une entorse mineure au règlement du musée, mais cette « confession » la mettait à l'abri des soupçons au cas où le vol du bracelet venait à être découvert.

Certes on pouvait concevoir que Tom ait accepté de mentir pour protéger une femme qu'il connaissait à peine, cependant on était en droit de se demander s'il n'avait pas eu un motif tout différent.

Le taxi s'arrêta, et Charlotte s'engouffra à l'intérieur. Prête à affronter le froid, elle s'était emmitouflée dans un ample manteau bleu marine.

« Alors, quel est ton plan ? »

Laurie le lui exposa en détail pendant leur trajet jusqu'à Queens.

Tiffany Simon passait en revue la liste des choses à faire pour le mariage qu'elle organisait le lendemain soir dans une caserne de pompiers de Brooklyn à laquelle le marié était rattaché. Les futurs mariés s'appelaient Luke et Laura, ce qui rappela à Tiffany à quel point sa grand-mère était friande d'« histoires ». « Granny » Molly disait qu'aucune histoire d'amour ne surpasserait jamais celle de Luke et Laura dans le feuilleton des années quatre-vingt *Alliances et trahisons*.

Tiffany venait de mettre la dernière touche au planning de la cérémonie quand la sonnerie de l'entrée retentit. Elle regarda à travers le judas et vit une femme d'une trentaine d'années enveloppée dans un élégant manteau bleu marine.

« Qui est-ce ? demanda-t-elle.

— Je voudrais parler à Molly. Je m'appelle Jane Martin et je fais des recherches pour une maison d'édition. »

Tiffany ouvrit la porte. « Molly est ma grand-mère. Vous êtes bien chez elle, mais elle est dans une maison de retraite à présent.

— Puis-je entrer ? Je travaille sur un livre que nous allons publier. Nous avons des difficultés à vérifier certaines déclarations de l'auteur. Elles concernent votre grand-mère. »

Tiffany s'écarta pour laisser entrer ladite Jane Martin qui s'écria :

« Waouh, c'est incroyable ! en regardant autour d'elle, stupéfaite, comme l'étaient la plupart des visiteurs qui entraient pour la première fois dans le salon.

— Souvenirs de l'étonnante existence de ma grand-mère », fanfaronna Tiffany.

Les murs étaient couverts de photos de Granny Molly en compagnie de diverses célébrités ou prises lors de ses spectacles. Étaient également exposées au moins une douzaine de ses tenues favorites, sans parler des versions miniatures qui habillaient une variété de poupées, disposées sur des fauteuils ou des guéridons.

« Grand-mère serait folle de joie si elle savait qu'un éditeur s'intéresse à elle !

— J'aimerais pouvoir dire que le livre lui sera entièrement consacré, mais le projet en question est une biographie présidentielle. L'auteur a rassemblé une série d'informations inédites concernant plusieurs présidents. Comme vous pouvez l'imaginer, il n'est pas évident de vérifier des faits aussi lointains.

— Je serais ravie de vous aider si je le peux. Cela concerne-t-il les aventures qu'elle a eues avec des présidents ?

— Oh, vous êtes au courant ? s'étonna "Jane Martin".

— Grand-mère était si belle que les hommes en perdaient la tête. Trois présidents ont succombé à ses charmes.

— Trois ? Elle devait être superbe !

— Elle l'était ! »

Charlotte espéra que la question suivante de « Jane Martin » paraîtrait naturelle. « Est-ce qu'elle en préférait un en particulier ?

— John Kennedy, bien sûr. Je n'ai pas besoin de vous expliquer pourquoi. Il était très séduisant, lui aussi. Durant une soirée de collecte de fonds au cabaret, un des organisateurs était venu la trouver et lui avait dit qu'il désirait la présenter au Président. De fil en aiguille, une aventure s'est nouée entre eux. Elle savait naturellement qu'elle serait éphémère, mais pour son anniversaire il lui a fait cadeau d'un ravissant bracelet à breloques porte-bonheur. Il paraît qu'il lui a dit : "Tu es mon porte-bonheur." Vous imaginez ce qu'elle a dû ressentir ?

« Bien sûr, il est facile de deviner la suite. Granny n'a jamais pu l'oublier, puis, quelques années plus tard, quelqu'un est entré dans sa loge et a volé ses bijoux, y compris le bracelet. Elle me racontait souvent à quel point elle y était attachée – il lui rappelait tant de souvenirs. Sa disparition l'avait désespérée.

— Elle devait être très jeune à cette époque, avança "Mme Martin".

— Oh, oui. Elle était si belle qu'un prince arabe l'avait demandée en mariage. Comme le duc de Wellington. Tout ça après trois présidents ! »

Granny Molly avait dû être très occupée, pensa Charlotte. « Quand votre grand-mère s'est-elle mariée ?

— Oh, pas avant l'âge de quarante ans, mais malheureusement mon grand-père n'était pas quelqu'un de responsable. Grand-mère a élevé ma mère seule, et puis ma mère et mon père sont morts dans un accident de voiture, et c'est elle qui s'est occupée de moi. J'adorais l'entendre raconter toutes ces anecdotes. À présent, elle vit dans une maison de retraite, et je sais que je ne vais pas tarder à la perdre. Mon seul désir est qu'elle soit heureuse le plus longtemps possible.

— C'est une attitude généreuse, Tiffany, dit "Jane Martin".

— Grâce à elle, je vis chaque jour de ma vie comme s'il devait être le dernier. Alors, vous allez publier ses histoires dans votre livre ? »

Charlotte se sentit honteuse quand elle répondit : « Je me borne à recueillir des anecdotes et à les transmettre à l'auteur. Je suis désolée si vous avez compris autre chose.

— S'il ne s'en sert pas, ce sera peut-être aussi bien, soupira Tiffany. L'émotion pourrait être trop forte pour elle.

— Alors, pourriez-vous m'en dire davantage sur le bracelet que lui avait offert le président Kennedy ? »

66

Carter était déjà là quand Penny arriva au bistro français qu'elle avait choisi pour leur rencontre. Contrairement à l'époque où il choisissait une table au fond du restaurant pour éviter de tomber sur quelqu'un de sa connaissance, il était aujourd'hui installé à une table près de la fenêtre.

Il se leva précipitamment à sa vue et la serra dans ses bras. « Penny, tu ne peux pas savoir à quel point tu m'as manqué. »

Toute la colère et le chagrin que Penny avait éprouvés durant ces années remontèrent à la surface. Elle commanda sans attendre un café noir au serveur qui se tenait devant leur table.

Quand il se fut suffisamment éloigné, elle rétorqua d'un ton acerbe : « Carter, à quoi tu joues ? Tu as le toupet de me dire que je t'ai manqué alors que tu m'as larguée sans prévenir il y a trois ans et que tu n'as jamais daigné répondre à mes appels. Tu avais décidé que je n'étais pas assez bien pour faire partie de la famille Wakeling. Tu n'as pas cherché une minute à connaître mes sentiments. J'ai eu tout le temps de réfléchir. En réalité, c'est moi qui aurais dû te quitter. Ivan me reprochait mon manque d'assiduité quand je travaillais pour ta mère. Il avait raison. J'arrivais souvent tard ou je partais tôt. Et c'était presque toujours pour te retrouver.

— Penny, je regrette.

— C'est trop tard. Au cas où tu l'ignorerais, tu m'as rendu service. Tu es paresseux. Tu te plains parce que tu es jaloux de ta sœur. Contrairement à toi, elle a toujours travaillé dur. »

Carter secouait la tête.

« Ne fais pas la sourde oreille, continua Penny. Je n'ai pas terminé. Je me donne à fond pour mon boulot, et j'ai l'intention de réussir. Écoute-moi bien : j'en suis venue à la conclusion que toi et ta famille n'étiez pas assez bien pour moi. Qu'est-ce que tu en dis ? »

Suivit un long silence. Puis Carter répliqua d'une voix basse et saccadée : « Maintenant, c'est toi qui vas m'écouter. »

Penny sentit les larmes lui monter aux yeux et chercha un Kleenex pour empêcher son mascara de couler. « Ce que tu vas dire ne m'intéresse pas », dit-elle. Elle repoussa sa chaise et fit mine de se lever. Carter se pencha au-dessus de la table et lui saisit les poignets, la forçant à se rasseoir.

« Je vais commencer par te dire que tu as raison. J'ai passé ma vie à m'apitoyer sur moi-même. Au début, mon père m'emmenait avec lui aux réunions au cours desquelles on discutait des nouveaux programmes. Mais je m'y ennuyais ferme. J'y allais parce que j'y étais obligé. Je n'avais pas envie qu'on me dicte ma conduite pour le restant de ma vie. Je ne travaillais pas sérieusement parce que ça me barbait. Depuis que je me suis comporté comme un crétin pendant le tournage, je me regarde en face. Tout ce que tu viens de dire est vrai. Mais je vais changer. J'ai quarante et un ans, je ne veux plus gâcher une seule minute de mon existence. Je veux m'impliquer à fond dans l'entreprise. Et il y a autre chose.

« Tu m'as manqué à chaque minute de chaque jour de ces trois dernières années. Je t'aime, Penny, je sais que je ne le mérite pas mais, je t'en prie, donne-moi une chance de tout recommencer avec toi. »

L'expression de Penny lui apporta la réponse qu'il attendait.

« Carter, j'ai un petit problème, dit-elle.

— Lequel ?

— Je ne peux pas boire mon café tant que tu me tiendras les poignets. »

Ils partirent d'un même rire.

67

Laurie attendait au coin de la rue pendant que Charlotte embobinait Tiffany. Au bout de vingt minutes qui lui parurent durer des heures, son amie la rejoignit.

« Comment ça s'est passé ? demanda-t-elle. A-t-elle parlé du bracelet ?

— Commençons par le début, dit Charlotte. Cette maison est une caverne d'Ali-Baba. Il y a toutes les tenues de la grand-mère du temps où elle était danseuse de cabaret, y compris des poupées affublées de modèles réduits de ses robes.

— Tu as pu l'enregistrer ? »

Charlotte lui fit entendre le début de la bande. Le son était parfaitement clair. Pianotant sur son téléphone, elle dit : « Je te l'envoie tout de suite sur ton mail.

— Tu es la meilleure. Qu'a-t-elle dit à propos du bracelet ?

— Laurie, Granny la danseuse de cabaret vivait dans un monde imaginaire et elle a bercé l'enfance de Tiffany de ses histoires. Il est évident qu'elle en inventait la plupart, sinon toutes. Selon Tiffany, Granny a eu des liaisons avec trois présidents, un prince arabe, le duc de Wellington et Dieu sait qui d'autre.

— A-t-elle parlé de John Kennedy ?

— Oh, c'était le préféré de Granny, et c'est là qu'on retrouve le bracelet. D'après Tiffany, il lui avait donné un bracelet porte-bonheur exactement semblable à celui qu'il avait offert à Jackie Kennedy, et qui était exposé au Met. Et il aurait déclaré à Granny qu'elle était son porte-bonheur. Tiffany raconte que ce bracelet représentait un symbole de l'amour de JFK. Il a été volé avec d'autres bijoux dans sa loge, et cette perte a brisé le cœur de Granny. Aujourd'hui, elle est dans une maison de retraite, très malade, et elle parle toujours du bracelet.

— Charlotte, tout s'explique. Tiffany a pu s'en emparer pour le donner à sa grand-mère. Puis elle s'est rendu compte qu'elle avait besoin d'un alibi et a demandé à Tom Wakeling de lui en fournir un. Voilà la pièce manquante qui me tracassait. Je vais aller frapper à la porte de Tiffany et essayer de la persuader de dire la vérité.

— Je devrais peut-être t'accompagner.

— Non, je vais me débrouiller. Il vaut mieux que je sois seule pour lui parler, et je t'ai retenue assez longtemps. »

Un taxi arrivait dans la rue. Laurie le héla, regarda Charlotte s'y engouffrer, puis se dirigea vers la maison de Tiffany.

Tiffany fut visiblement surprise de trouver Laurie sur le seuil de sa porte. « Est-ce à cause du cadeau de remerciement que vous deviez envoyer ? Vous n'aviez pas besoin de l'apporter vous-même.

— Non, il s'agit d'autre chose, Tiffany. Puis-je entrer ? »

68

Quand Tiffany l'invita à pénétrer chez elle, la première pensée de Laurie fut que les descriptions que
Charlotte lui avait faites de la maison n'étaient pas
exagérées. C'était un vrai bric-à-brac de souvenirs.

« Je dois commencer par vous présenter des excuses,
dit-elle. La personne qui est venue tout à l'heure n'est
pas une éditrice. C'est moi qui ai inventé cette histoire. »

Tiffany protesta : « Vous n'avez vraiment aucun
scrupule ! »

Laurie leva la main. « Je suis vraiment désolée.
J'avais mes raisons, et je pourrai vous les donner plus
tard, mais ce qui m'amène est urgent. Je sais qu'à
cause de vous, l'alarme s'est déclenchée le soir du
gala. Ce n'est pas le bracelet qui m'intéresse. J'essaye
de démasquer un assassin.

— Comment avez-vous su que... ?

— Je n'ai vraiment pas le temps de vous expliquer
maintenant, Tiffany, et j'aurais préféré m'y prendre
autrement. Vous avez cru que Tom vous faisait une
faveur en vous fournissant un alibi cette nuit-là, mais

je suis quasiment certaine que c'est vous qui lui en avez fourni un. Je crois que c'est lui qui a tué Virginia Wakeling. »

Tiffany mit un instant à enregistrer ce que lui disait Laurie. Elle pâlit. « Ce n'est pas possible.

— Je sais. C'est difficile à croire.

— Pour le bracelet, je savais qu'il n'avait pas de valeur, dit Tiffany les larmes aux yeux. Quand je l'ai vu, je me suis dit que Granny serait folle de joie de le récupérer.

— Je comprends, mais c'est maintenant l'occasion pour vous de rétablir la vérité. Acceptez-vous de confirmer – à la police et devant les caméras – que vous ne vous trouviez pas au premier étage du musée avec Tom Wakeling ?

— Ils m'arrêteront. C'est certain.

— Sûrement pas. Je connais l'inspecteur chargé de l'enquête criminelle. Je suis sûre qu'ils vous garantiront l'immunité si vous témoignez. Maintenant, dites-moi exactement ce qui s'est passé.

— J'étais tellement affolée ce soir-là quand j'ai vu toute cette agitation et compris que quelque chose de grave s'était passé, bredouilla nerveusement Tiffany. Je me suis précipitée pour regagner la foule sans qu'on m'aperçoive. Mais la police était déjà sur place, et ils commençaient à poser des questions. J'étais terrifiée. J'ai tout avoué à Tom et il a proposé de me fournir un alibi. Nous nous étions réellement introduits dans la galerie des portraits peu après le dîner et nous amusions à nous moquer des personnages historiques. Nous nous sommes cachés en entendant des gens arriver… c'étaient des ouvriers. Tom a alors suggéré que nous regagnions le rez-de-chaussée séparément pour mini-miser les risques d'être remarqués. C'est à ce moment que je suis allée prendre le bracelet. Je lui étais telle-ment reconnaissante qu'il me propose de déclarer que nous ne nous étions pas quittés de la soirée. Jamais il ne m'a même traversé l'esprit qu'il pouvait avoir une autre raison pour le faire. Oh mon Dieu ! Pensez-vous que Tom ait tué cette malheureuse femme ?

— Grâce à vous, Tiffany, nous approchons de la vérité, dit Laurie. Je vais arranger les choses avec la police et revenir demain avec une équipe de tournage. En attendant, enfermez-vous à double tour et appelez le 911 si Tom vous contacte. »

Une expression de crainte apparut sur le visage de la jeune femme.

« Je veux dire, au cas où, ajouta Laurie. Tom n'a pas la moindre idée que je le soupçonne. »

Elle remercia chaleureusement Tiffany de nouveau, et attendit de l'entendre pousser le verrou avant de repartir.

69

Johnny Hon était encore au volant. Il avait suivi Carter Wakeling jusqu'à Manhattan, le long de la voie rapide Franklin D. Roosevelt, et traversé la ville jusqu'à Chelsea. Il regarda Carter se garer dans la 21e Rue entre les Huitième et Neuvième Avenues, puis se diriger vers le café au coin de la rue.

Moins d'une minute plus tard, une femme pénétrait dans le même café. Depuis sa voiture, Hon l'observa à la jumelle. Il reconnut la silhouette élancée et les traits réguliers de Penny Rawling. Avec ses cheveux noirs, son teint pâle et ses yeux d'un bleu éclatant, elle méritait le surnom de Blanche-Neige que lui avait attribué l'un des inspecteurs.

Lorsqu'il la vit s'asseoir à la table de Carter Wakeling, Hon posa un macaron officiel sur son pare-brise et la suivit à l'intérieur, choisissant une table éloignée d'où il pourrait les observer tous les deux. Il les avait interrogés séparément trois ans auparavant et préférait ne pas prendre le risque qu'ils le reconnaissent.

Leo lui avait expliqué que Penny était l'un des témoins qui avaient fourni de nouvelles informations susceptibles d'impliquer Carter dans la mort de Virginia Wakeling. Elle disait lui avoir révélé que sa mère projetait de réduire sensiblement sa part d'héritage.

Il vit soudain Penny baisser la tête, se mettre à pleurer et prendre une serviette dans le distributeur métallique pour s'essuyer les yeux. Un instant plus tard, Carter se penchait au-dessus de la table et lui saisissait les poignets.

Hon ne voyait pas très clairement ce qui se passait entre eux depuis le fond de la salle, mais il se tenait sur le qui-vive. Il avait l'impression que Carter faisait pression sur Penny ou qu'il la menaçait. Elle semblait effrayée au point de pleurer en public. Si Carter s'affolait en la voyant dans cet état, il pourrait pousser plus loin ses manœuvres d'intimidation.

Mais tous deux se mirent soudain à sourire. Carter relâcha son étreinte et, quoi qu'il se fût passé entre eux, il était évident que Penny était rassérénée.

Johnny Hon demanda la note et regagna sa voiture. Son instinct lui disait que Carter Wakeling n'était pas un assassin, mais il avait vu des meurtriers paraître aussi innocents que des enfants de chœur. Pas question de le perdre de vue. S'il parvenait à persuader Penny de monter dans sa voiture ou dans un taxi avec lui quand ils sortiraient du restaurant, Hon comptait les filer.

70

En quittant la maison de Tiffany, Laurie vérifia l'heure en même temps qu'elle appuyait sur la touche Envoyer.

L'enregistrement de la conversation de Charlotte avec Tiffany était parti chez Jerry. Elle essaya ensuite de l'appeler. Il était sept heures moins le quart. Il travaillait souvent tard, mais ce soir il avait dû quitter le studio plus tôt pour fêter l'achèvement du storyboard de l'émission. En écoutant le téléphone sonner en vain, elle imagina Jerry et Grace en train de prendre un verre au Tanner Smith's, avec son décor de bar clandestin, qu'ils avaient l'habitude de fréquenter quand Laurie n'était pas sur leurs talons.

Elle attendit de basculer sur la boîte vocale de Jerry, puis laissa quelques mots. « Appelle-moi dès que tu auras ce message. Je sais qui a tué Virginia. Il faut qu'on se voie à la première heure demain matin pour décider de la marche à suivre. J'ai besoin d'une garantie d'immunité pour un témoin, et il faut que Ryan en interroge au moins un autre. Rappelle-moi sans faute. »

Quand elle raccrocha, il était six heures quarante-huit. Elle était censée retrouver Alex dans Central Park South dans douze minutes. Le trajet jusqu'à Queens avait pris quarante-cinq minutes. Le retour serait plus rapide à contresens des embouteillages, mais la traversée du pont serait encore ralentie.

Elle mettrait moins de temps en métro. La ligne F était presque rectiligne. Malgré tout, elle serait encore en retard, mais il comprendrait. La veille, tout leur avait paru naturel et spontané, comme s'ils étaient enfin sur la même longueur d'onde. Cette fois, ils n'hésiteraient plus.

Elle chercha le numéro d'Alex dans son répertoire et s'apprêta à lui envoyer un texto. Elle n'avait pas commencé à le taper qu'elle entendit des pas derrière elle.

71

Tom Wakeling sortait de sa voiture quand il aperçut une inconnue qui quittait la maison où il était venu deux fois chercher Tiffany trois ans auparavant. La femme portait un manteau bleu marine. Il la regarda marcher jusqu'à l'angle de la rue. Son pouls s'accéléra quand il repéra Laurie Moran qui l'attendait.

Les deux femmes eurent une brève conversation, puis Laurie se dirigea seule chez Tiffany.

Elle était à l'intérieur depuis plus de cinq minutes. Que devait-il faire à présent ?

Il avait échafaudé un plan dès qu'Anna lui avait dit que les producteurs de l'émission de télévision lui avaient posé des questions sur Tiffany. Il avait une boîte de puissants analgésiques dans sa poche et projetait de faire passer la mort de Tiffany pour une overdose. Il avait aussi un pistolet, et l'utiliserait pour la forcer à avaler les pilules. La police considérerait la mort de cette excentrique comme l'un de ces accidents malheureux liés à l'addiction aux opiacés qui affectait le pays. Maintenant que tout allait comme sur des roulettes pour lui, il ne pouvait pas prendre le risque que Tiffany revienne sur son témoignage à la police. À présent, il se trouvait sur le trottoir devant la maison voisine de celle de Tiffany, feignant de téléphoner. Dissimulé aux regards par un grand pin, il surveillait la porte d'entrée. Il vit Laurie sortir de chez elle et s'engager sur le trottoir. Il craignit qu'elle ne le remarque, mais elle était distraite par son téléphone.

Il était assez près d'elle pour entendre ce qu'elle disait. « Appelle-moi dès que tu auras ce message. Je sais qui a tué Virginia. Il faut qu'on se voie à la première heure demain matin pour décider de la marche à suivre. J'ai besoin d'une garantie d'immunité pour un témoin, et il faut que Ryan en interroge au moins un autre. Rappelle-moi sans faute. »

Tom maudit sa malchance. Jusqu'à ce jour, tout lui avait souri. Après l'incident sur la terrasse, Tiffany lui avait raconté qu'elle avait volé un bracelet lorsqu'ils s'étaient séparés durant le gala. Elle jurait qu'il était sans valeur, mais cet aveu lui avait confirmé qu'elle était complètement siphonnée. Quelle incroyable aubaine en même temps ! Il se retrouvait soudain avec un alibi en béton. L'argent que sa tante lui avait laissé se limitait à la minable somme de cinquante mille dollars, assez néanmoins pour payer ses dettes de jeu. Et ensuite, contrairement à son oncle Robert, ses cousins lui avaient donné l'occasion de faire ses preuves dans l'entreprise familiale. Tout avait basculé durant cette horrible nuit.

Et maintenant, la chance l'avait abandonné. S'il était arrivé ici un peu plus tôt, son plan aurait pu marcher. Mais il était trop tard. Visiblement on avait fait pression sur Tiffany pour qu'elle revienne sur son témoignage, et les gens de *Suspicion* allaient le cuisiner. Anna avait dit qu'ils ne lâchaient jamais.

Il n'en réchapperait pas, à moins de parvenir à se débarrasser de Tiffany ainsi que de Laurie Moran.

Il suivit furtivement Laurie, sortit le Glock de sa ceinture. Elle ne l'entendit que lorsqu'il fut à sa hauteur. Il braquait son pistolet sur elle quand elle se retourna.

« Pas un mot, et faites ce que je vous dis », murmura-t-il, tenant l'arme plaquée contre lui, à l'intérieur de son manteau ouvert. « Nous allons faire une petite promenade. »

Il ne vit pas le téléphone glisser hors de la main de Laurie tandis qu'il la reconduisait chez Tiffany.

72

Laurie essaya en vain d'imaginer un moyen de lui échapper. Il l'avait prise par le bras, un pistolet braqué sur elle.

Quelqu'un s'avançait vers eux sur le trottoir, occupé à pianoter sur son portable. La main de Tom étreignit son bras plus fermement. Elle voulut appeler l'homme à l'aide, mais elle savait que Tom le tuerait en même temps qu'elle. Elle tenta d'implorer du regard l'inconnu en le croisant, mais il était accaparé par son écran.

Elle sentit tout espoir l'abandonner en le voyant s'éloigner en silence.

Comme elle s'y attendait, Tom la poussa vers le perron de la maison de Tiffany.

« Frappez », ordonna-t-il.

Elle se rappela le bruit du verrou se refermant derrière elle quand elle était partie. Elle avait averti Tiffany d'appeler le 911 si Tom se manifestait. Tant que Tiffany n'ouvrait pas la porte, elle serait probablement en sécurité.

Elle jeta un regard de défi à Tom.

« Faites ce que je vous dis », siffla-t-il.

Elle imagina son père obligé de dire à Timmy que sa mère aussi avait été assassinée. Il serait orphelin. Mais si elle entrait dans la maison, Tom les éliminerait toutes les deux. En revanche, si elle restait sur le perron, Tiffany au moins ne serait pas menacée.

Elle ne fit pas un geste. Elle espéra seulement que Timmy saurait qu'elle avait pensé à lui à la fin, et qu'elle avait tenté de sauver la vie d'une femme.

Tom lui jeta un regard mauvais, frappa à la porte et fit un pas de côté, hors du champ de vision du judas. Laurie entendit des pas s'approcher. « Tiffany, non ! hurla-t-elle. N'ouvrez... »

Trop tard. La porte s'ouvrit et Tom poussa Laurie à l'intérieur, son arme braquée sur elles deux.

« Je peux vous servir un verre pendant que vous attendez ? »

Alex regarda sa montre. Il était assis seul à sa table au Marea depuis un quart d'heure, mais il était arrivé en avance. Il n'était que sept heures cinq.

Après leur merveilleuse soirée de la veille, il était certain que Laurie ne tarderait pas.

« Bien sûr. Apportez-moi un dry martini avec des olives, s'il vous plaît. »

Il allait consulter ses e-mails en attendant.

Tom Wakeling arpentait fébrilement le salon de Tiffany, allant et venant devant les souvenirs qui y étaient exposés. Tout en gesticulant, il agitait son pistolet et, chaque fois, Laurie tressaillait.

« Combien vaut cette tiare ? Et cette photo dédicacée avec Frank Sinatra ? »

Les yeux exorbités, Tiffany tremblait de terreur. « Je n'en sais rien, dit-elle. Ces choses étaient inestimables pour ma grand-mère, mais je ne crois pas qu'elles aient de la valeur.

— Et ce bracelet que tu as volé au musée ? Il doit valoir une fortune.

— Pas du tout, je t'assure ! » Tiffany éclata en sanglots. « Je t'ai dit la vérité au gala. C'était un souvenir bon marché. Je l'ai donné à ma grand-mère.

— Tu as de l'argent liquide ou de *vrais* bijoux ? demanda Tom.

— Deux cents dollars dans mon portefeuille. Mes bijoux sont sur ma coiffeuse en haut. Tous fantaisie. »

Laurie essayait de rester calme, mais elle était encore plus terrifiée que Tiffany. Elle savait ce que celle-ci n'avait pas compris. Il ne cherchait pas de l'argent. Tout allait bien pour lui chez Wakeling Development. Quoi qu'il mijotât, ça n'avait rien à voir avec ces babioles. Il cherchait à simuler un cambriolage qui aurait mal tourné. Il allait donner l'impression qu'un voleur avait mis la maison à sac, était parti avec un ou deux souvenirs, et les avait tuées toutes les deux.

« Votre plan ne va pas marcher, murmura Laurie.

— Fermez-la ! hurla-t-il.

— Écoutez-moi. Une autre femme était ici tout à l'heure. Elle a un enregistrement de Tiffany qui parle du bracelet et de l'endroit où elle se trouvait au moment du meurtre. La police saura que Tiffany a menti en disant qu'elle se trouvait avec vous lorsque Virginia est montée sur la terrasse. Si vous vous en prenez à nous, ils feront le rapprochement.

— La grande femme en manteau bleu ?

— Oui.

— Qui est-ce ?

— Jane Martin, dit Laurie, utilisant le nom que Charlotte avait emprunté pour sa mission. Elle travaille avec moi à la télévision. Elle a fait croire à Tiffany qu'elle était employée par une maison d'édition qui enquêtait sur sa grand-mère. »

Laurie ne révéla pas qu'elle avait une copie de l'enregistrement dans sa boîte mail. Quand il l'avait entraînée de force sur le trottoir, Tom n'avait visiblement pas remarqué qu'elle avait laissé glisser son portable. Son seul espoir était que quelqu'un le ramasse et appelle le numéro de son domicile inscrit dans le répertoire. Son père devinerait aussitôt qu'il s'était passé quelque chose d'anormal et enverrait la police à l'endroit où était tombé le téléphone. Mais il se pouvait aussi que personne ne le trouve, ou que quelqu'un s'en empare sans chercher à le restituer à son propriétaire. Elle chassa cette pensée de son esprit. Elle devait s'accrocher au moindre espoir.

« Elle partait quand je suis arrivé, disait Tom. J'aurais dû l'arrêter à l'instant où je l'ai vue vous parler. Appelez-la, ordonna-t-il, saisissant le combiné d'un téléphone sans fil posé sur la table d'appoint. Inventez n'importe quoi pour la faire revenir ici avec cet enregistrement. Si vous lui dites un seul mot qui puisse éveiller ses soupçons, vous y passez toutes les deux. »

Laurie prit le téléphone d'une main tremblante. Elle jeta rapidement un regard autour d'elle et ne vit aucun autre téléphone sans fil.

C'était peut-être sa seule chance.

75

« Vous ne voulez vraiment pas grignoter quelque chose en attendant ? »

Alex crut déceler une note de commisération dans le ton de la serveuse.

Il regarda à nouveau sa montre. Sept heures quarante. « Non, tout va bien. Merci. »

Une fois la serveuse partie, il se leva de table et alla à l'entrée pour appeler Laurie depuis son portable. Au bout de quatre sonneries il fut dirigé vers sa boîte vocale. « Je voulais juste m'assurer que tu étais en route. Dis-moi si tu veux que j'envoie Ramon te chercher. »

Laurie l'avait prévenu qu'elle n'était pas certaine d'être à l'heure si elle passait voir Timmy avant de le rejoindre, mais quarante minutes de retard sans envoyer un texto ou téléphoner, c'était une première.

Quelques minutes plus tard, revenu à sa table, il vérifia de nouveau ses messages. Rien.

Si elle avait eu un empêchement et ne l'avait pas contacté, c'est qu'elle avait des ennuis.

Cette fois, il ne prit pas la peine de se mettre à l'écart pour passer son appel. C'était trop urgent.

Leo répondit immédiatement. « Alex, je vous croyais en train de profiter d'un dîner somptueux avec ma fille.

— Est-ce qu'elle est passée chez elle pour voir Timmy après son rendez-vous ?

— Non, elle a dit qu'elle allait directement vous rejoindre au restaurant.

— Elle n'est pas là. Il lui est arrivé quelque chose, j'en suis sûr. »

76

Leo mit Alex en attente et chercha l'application de géolocalisation sur son portable. Laurie lui avait appris à s'en servir pour savoir où se trouvait Timmy – ou du moins son portable – à tout moment.

Une carte s'afficha aussitôt sur son écran, indiquant l'emplacement des téléphones de leurs amis qui partageaient cette appli.

Un des emplacements était l'appartement de Laurie, où se trouvait Timmy en ce moment. Leo sentit son cœur se serrer en découvrant un deuxième cercle à l'extrême droite de son écran. Il zooma. D'après la localisation de son portable, Laurie se trouvait dans Queens.

Il s'efforça de garder une voix calme quand il reprit la communication avec Alex. « J'ai repéré l'endroit où elle se trouve grâce à son portable. Savez-vous pour quelle raison elle serait allée à Queens ?

— Queens ? Non. Elle m'a simplement dit qu'il lui restait un détail à régler, quelque chose la tracassait concernant un témoin. Mais elle n'a pas parlé de quitter Manhattan. »

Un bip interrompit leur conversation. Leo vérifia son écran, mais ne reconnut pas le numéro. Il répondit néanmoins. Il ne voulait pas courir le risque de rater un appel de Laurie.

Il reconnut immédiatement sa voix. Il avait à peine poussé un soupir de soulagement que la panique le reprit. « Allô, Jane, ici Laurie Moran.

— Laurie ? Où es-tu ? Que se passe-t-il ?

— Je suis désolée de vous ennuyer alors que vous pensiez finalement être libre pour la soirée. Je suis ici avec Tiffany et elle voudrait revoir les déclarations qu'elle vous a faites. »

Leo comprit que sa fille parlait sous la contrainte. Il savait aussi qu'elle était déterminée et imaginative. Elle trouverait un moyen de lui transmettre les informations dont il avait besoin.

« Essaye d'utiliser le nom de ton boss si tu cours un grave danger.

— Je suis désolée de vous presser, mais Brett nous harcèle pour que nous tenions les délais. Sans parler de Charlotte. Vous n'imaginez pas tout ce qu'elle a à dire sur le défilé. Pouvez-vous rapporter l'enregistrement que vous avez fait chez Tiffany afin qu'elle et moi puissions le revoir minutieusement ? Elle veut s'assurer de n'avoir rien dit d'inexact concernant sa soirée avec Tom.

— J'ai compris, dit Leo, sentant son sang se glacer.

— Vous vous souvenez de l'endroit où habite Tiffany, n'est-ce pas ? » Elle lui donna l'adresse d'une voix lente et claire. Elle correspondait au point sur la carte qui indiquait la localisation de son téléphone.

« J'y serai dans un instant, dit Leo.

— À tout de suite. »

Leo reprit la communication avec Alex. « Laurie est en danger. Je pense que quelqu'un la retient de force. Je sais où elle se trouve. J'y vais.

— Où est-elle ? Je saute dans ma voiture. »

Il était inutile de discuter. Leo donna l'adresse à Alex et lui fit promettre de ne pas s'approcher de la maison sans lui.

Leo téléphona ensuite à Charlotte Pierce, l'amie de Laurie, dont il trouva le numéro sur le répertoire de l'iPad de Laurie. Il savait que sa fille avait utilisé son nom à dessein.

« Salut, Laurie, fit la jeune femme qui devait avoir reconnu le numéro.

— Charlotte, je suis son père, Leo. » Il la mit rapidement au courant de l'étrange appel de Laurie. « Que savez-vous ?

— J'ai en effet un enregistrement de la déclaration d'un de ses témoins. Une dénommée Tiffany Simon. Elle a raconté une histoire invraisemblable à propos d'un bracelet volé. Laurie est persuadée qu'elle a menti en prétendant être avec Tom Wakeling au moment du meurtre. »

Donc Laurie appelait de chez Tiffany, et demandait à « Jane » de revenir avec l'enregistrement. Il n'y avait qu'une explication possible : Tom Wakeling était dans la maison et voulait détruire cet enregistrement.

Il se tenait sûrement sur ses gardes. Si Leo appelait le 911, il connaissait la suite. La situation se transformerait en prise d'otages. Le groupe d'intervention chercherait à avoir une ligne de tir à travers les fenêtres, mais Laurie et l'autre femme courraient un danger terrible.

Leo eut soudain une autre idée. « Charlotte, je suis désolé de vous impliquer dans cette affaire, mais vous êtes la seule personne à même de lui faire ouvrir la porte sans violence.

— Je ferais n'importe quoi pour Laurie.

— Je vais vous envoyer une voiture de police. Où êtes-vous ?

— Au P.J. Clarke's, près du Lincoln Center.

— Le conducteur de la voiture va vous emmener à proximité de la maison. Je vous y attendrai. »

77

Leo jeta un coup d'œil dans le couloir vers la chambre de Timmy et constata avec satisfaction que sa porte était fermée. Il voulait être sûr qu'il n'entendrait pas les appels téléphoniques de son grand-père.

Il téléphona ensuite à l'un de ses amis, un capitaine du service, et obtint rapidement qu'une voiture de police vienne le prendre devant l'immeuble de Laurie.

Il se dirigea enfin vers la chambre de Timmy, et le trouva en train de jouer à un jeu vidéo au lieu de faire ses devoirs.

« Je te promets que j'allais m'y mettre tout de suite », dit Timmy, l'air penaud.

Leo essaya de garder un ton calme. « Je viens d'avoir un appel de la cellule antiterroriste qui me demande d'assister à une réunion imprévue. Est-ce que je peux te faire confiance et être sûr que tu ne bougeras pas d'ici pendant mon absence ?

— Ne t'inquiète pas, grand-père.

— Ce ne sera pas long. » Leo ne s'inquiétait pas pour Timmy. Il y avait un portier dans l'immeuble. Il fallait qu'il aille à la rescousse de Laurie.

« Parfait. Fais tes devoirs, d'accord ? » Il détestait mentir à son petit-fils, mais il n'avait pas le choix.

Il avait élaboré un plan. Le ciel fasse qu'il fonctionne, pensa-t-il en sortant à la hâte sur le trottoir. Une voiture de police, sirène en action, arrivait à toute vitesse dans sa direction.

Il appela le commissaire de police et fut mis en relation sur-le-champ. En trois courtes phrases, il le mit au courant de la situation. Tout s'enclencha en quelques minutes. Une voiture partit chercher Charlotte. Différentes unités, sans gyrophares ni sirènes, se mirent en route vers un croisement près de la maison de Tiffany. Ils sécuriseraient ensuite le périmètre.

Leo les avait avertis : « Si Wakeling devine que nous sommes sur sa piste, ma fille risque de le payer de sa vie. »

78

Comme Laurie l'avait imaginé, Tom mit en scène un cambriolage qui aurait mal tourné. Tiffany pleurait sur le canapé en le regardant briser des lampes, arracher les photos aux murs et s'emparer d'objets qu'il entassait dans un sac de toile trouvé dans la cuisine.

« Arrête de me fixer comme ça ! cria-t-il à Tiffany. Tu me rends nerveux. Et quand je suis nerveux, on peut s'attendre au pire. »

Laurie voyait la panique le gagner et le savait capable de les tuer toutes les deux. Elle devait tenter de le calmer et de le ralentir. Son père avait compris qu'elle était en danger et ferait tout pour les sauver, Tiffany et elle. Il fallait qu'elle gagne du temps.

Au lieu d'affronter Tom, elle détourna les yeux. C'était une chance qu'il n'ait pas pu écouter toute la conversation qu'elle avait eue avec son père. Il fallait que leur ruse fonctionne.

Tom avait fini de saccager les lieux. Il était satisfait de sa mise en scène. Il ne lui restait plus qu'à récupérer l'enregistrement de Tiffany. Une fois qu'il l'aurait détruit, il pourrait tuer les deux femmes et s'enfuir.

« Votre tante s'était trompée sur vous, dit Laurie, saisissant une occasion de le faire parler. Dès que vos cousins vous en ont donné la chance, vous avez rapidement gravi les échelons dans l'entreprise. Anna m'a dit qu'elle ne savait pas ce qu'elle ferait sans vous.

— C'est exactement ce que j'ai essayé d'expliquer à ma tante ce soir-là, dit Tom, de plus en plus agité. Qu'elle devait me laisser faire mes preuves. Je l'ai vue s'éclipser seule et monter dans l'ascenseur. Il s'est arrêté à la terrasse. Tu étais partie je ne sais où, ajouta-t-il en pointant son pistolet vers Tiffany. Le gardien posté au pied de l'escalier s'était absenté un instant. J'ai emprunté l'escalier pour monter sur la terrasse et j'y ai trouvé tante Virginia seule. Je voulais seulement qu'elle écoute ce que j'avais à lui dire. J'avais tenté de lui parler à la fin du dîner, mais elle m'avait évité. Je pensais qu'une fois seul avec elle, je pourrais plaider ma cause. Mon seul désir était d'avoir un rôle dans l'entreprise familiale. Je ne réclamais pas la moitié qui revenait à mon père – même si j'estimais y avoir droit. Je croyais qu'elle serait prête à réparer l'injustice, ce que l'oncle Bob n'avait jamais fait. La moitié de Wakeling Development aurait dû appartenir à mon père.

— Carter m'a raconté combien elle pouvait se montrer dure, murmura Laurie, le poussant à continuer. Elle lui avait reproché de se comporter comme un adolescent, et dit qu'il ne serait arrivé à rien sans son nom.

— Ça n'est pas grand-chose par rapport à ce qu'elle m'a envoyé à la figure. Elle me considérait comme un moins-que-rien. Elle était encore plus insensible que l'oncle Bob. Quand elle m'a vu sur la terrasse, elle m'a traité de joueur minable, sans contrôle sur son existence. Elle m'a dit que jamais je n'aurais été admis à la fête du musée si son époux n'avait pas rendu célèbre le nom des Wakeling.

— Cela a dû être horrible pour vous, dit Laurie, feignant la compassion.

— Vous savez quels ont été ses derniers mots ? "Tom, tu es encore plus inutile que ton père."

— Et c'est à ce moment-là que vous l'avez poussée, dit Laurie.

— Absolument pas. Elle s'apprêtait à quitter la terrasse quand je l'en ai empêchée. Je voulais qu'elle comprenne que j'étais un être humain avec des rêves et des projets. Elle s'est débattue et est tombée en arrière. Elle était si menue. Ce n'était qu'un accident. »

Il était possible que Tom en soit véritablement venu à croire à cette version des faits après plusieurs années, mais il se mentait à lui-même. Laurie avait vu des photos du rebord de la terrasse. Elle imaginait la terreur de Virginia quand il l'avait soulevée et fait passer par-dessus la rambarde.

Elle sursauta en entendant frapper à la porte.

Tom fit pivoter le pistolet qu'il dirigeait vers Tiffany et le pointa sur elle. « Ouvrez. »

79

Quand Leo était arrivé, une camionnette banalisée stationnait à quelques mètres de la maison de Tiffany. Les policiers baissèrent leurs jumelles et dirent à Leo que les rideaux étaient tirés quand ils s'étaient approchés de la maison. Ce qui signifiait que Tom Wakeling ne voyait probablement pas ce qui se passait à l'extérieur, mais qu'ils ne pouvaient pas davantage voir à l'intérieur. Leo leur expliqua en quelques mots ce qu'il attendait d'eux.

Suivant son plan, deux agents prirent position près de la porte de derrière. Charlotte s'avança vers le perron, flanquée de deux policiers sur sa gauche, et d'un autre accompagné de Leo sur sa droite. Elle portait un gilet pare-balles sous son manteau bleu.

Leo lui avait donné une seule consigne : frapper à la porte puis courir jusqu'au bout de la rue où attendaient Alex et d'autres policiers.

Charlotte frappa à la porte.

Le cœur de Leo bondit en entendant la voix de Laurie à l'intérieur. « Merci d'être venue, Jane. Cela devrait être rapide. J'ai peu de choses à faire de mon côté, sauf vérifier un point de droit », dit-elle à travers la porte tandis que Leo entendait qu'on tirait le verrou.

J'ai peu de choses à faire de mon côté, sauf vérifier un point de droit. La phrase paraissait étrange dans la bouche de Laurie. Leo connaissait sa fille. Elle essayait de lui transmettre une information essentielle.

Peu de choses. De mon côté. Droit. Elle lui disait que la menace se trouvait à droite. La porte s'ouvrait sur la gauche.

Il fit signe aux policiers de rester postés à gauche de l'encadrement de la porte afin d'avoir un meilleur angle d'attaque.

Tout se passa très vite.

Au moment où la porte s'ouvrait, un des policiers écarta Charlotte qui se mit à courir. Leo ouvrit la porte en grand d'un coup de pied et se jeta sur sa gauche. Laurie plongea en avant, sentant les balles siffler au-dessus de sa tête au moment où Leo la tirait brusquement de côté. Tiffany hurla et se jeta par terre.

Les coups de feu éclatèrent presque simultanément. L'enquête révéla par la suite que huit coups au total avaient été tirés par la police – quatre par chacun des deux agents postés à gauche de la porte. Deux autres avaient été tirés par Wakeling en direction de Laurie.

Les deux agents donnèrent des versions identiques de ce qu'ils avaient vu de leur emplacement. Tom Wakeling se tenait à la droite de Laurie au moment où elle avait ouvert la porte. Quand elle s'était jetée en avant, il avait pivoté et tiré dans sa direction.

Ils n'avaient pas eu le choix. Tom Wakeling était mort, mais ils avaient sauvé Laurie.

80

Tandis que Charlotte courait de toutes ses forces vers la voiture de la police, une fusillade retentit derrière elle. Elle s'effondra contre la portière de la voiture, cherchant à reprendre son souffle et gémissant : « Oh mon Dieu. »

Alex était stationné à un mètre de là. Affolé, il baissa sa vitre : « Qu'est-il arrivé à Laurie ? »

Sans attendre de réponse, il ouvrit sa portière et se précipita dans la rue. Deux policiers tentèrent de l'arrêter.

Il leur lança sèchement : « Je suis avec Leo Farley. »

Les policiers lui firent signe de passer.

Il entendit une femme crier le nom de Tiffany. L'instant d'après, Tiffany en pleurs se laissait tomber dans les bras de sa voisine.

Mais où était Laurie ?

Un soulagement indicible l'envahit quand il l'aperçut debout près de son père, un blouson de la police posé sur ses épaules.

Elle était en vie. Elle était saine et sauve.

Il cria : « Laurie, Laurie ! »

Elle se retourna au son de sa voix. Quand il l'attira dans ses bras, le monde autour d'eux cessa d'exister. Ils se regardèrent, les yeux brillants de larmes.

« Comment as-tu su ?

— Je te raconterai plus tard. Mon Dieu, je t'aime tant. »

Ils restèrent enlacés, immobiles au milieu de la rue, jusqu'à l'arrivée d'une armada de voitures de police et d'ambulances.

Leo s'approcha d'eux : « Allez, filez tous les deux. Vous en avez assez vu. Une voiture va ramener Charlotte chez elle. Quant à toi, Laurie, ils voudront sans doute t'interroger, mais ils ne seront pas prêts avant plusieurs heures. »

Laurie regarda Alex puis son père d'un air hésitant. « Tu en es sûr ?

— Quelqu'un connaît-il mieux que moi toutes les ficelles d'une enquête ? Je suis sérieux : partez. Je ferai en sorte que les autorités sachent comment vous trouver. » Il lui donna une petite tape dans le dos, la poussant en direction de la voiture d'Alex qui les attendait.

« Nous avions prévu de retourner au restaurant de notre premier rendez-vous, lui dit Alex. Notre table nous attend. » Il ajouta : « Laurie, tu es toujours partante ?

— Absolument. »

« Je n'arrive pas à croire que nous soyons ici après tout ce qui est arrivé ce soir, murmura Laurie.

— Moi non plus, dit Alex au moment où ils entraient au Marea et se dirigeaient vers la table qui leur avait été réservée un peu plus tôt. Laurie était encore livide, mais l'angoisse qu'il avait vue dans ses yeux commençait à s'estomper.

Le serveur arriva aussitôt. « Les tortellinis sont ton plat préféré, suggéra Alex. Tu veux que je les commande pour toi avec un verre de chardonnay, naturellement. »

Elle hocha la tête sans prononcer un mot. Elle avait encore à l'esprit le sifflement des balles au moment où Leo l'avait tirée violemment de côté.

« J'avais tellement peur que Tiffany meure, dit-elle. Je me serais sentie responsable. »

Quelques notes de musique indiquèrent à Laurie qu'elle avait reçu un texto. Elle regarda Alex avec hésitation. « Je t'en prie », fit-il.

Le message provenait de Leo. Elle le lut tout haut. « *Les médecins ont examiné Tiffany. Elle va bien. Une voisine l'héberge pour la nuit. Je suis dans une voiture qui me ramène chez toi. Je viens de parler à Timmy. Il est en pleine forme.* PROFITE DU DÎNER *et ne t'interromps pas pour d'autres messages !* »

Ce qui les fit rire.

Laurie se rendit compte que ce dîner serait à la hauteur de celui qu'ils avaient projeté ensemble. « Je t'ai fait attendre si longtemps ce soir !

— Juste assez pour que je me fasse un sang d'encre quand j'ai téléphoné à Leo, et qu'il m'a paru inquiet.

— Ils nous a sauvées de Tom Wakeling, Tiffany et moi. » Elle commençait à se sentir mieux. « Nous avons eu de la chance. Nous savons maintenant que Tom Wakeling est l'assassin de sa tante Virginia. Je suis encore sous le choc, mais je veux oublier tout ça pour l'instant. Nous avons trop attendu cette soirée.

— C'était une soirée spéciale pour un événement spécial. » Alex prit dans sa poche une petite boîte de velours et l'ouvrit. Elle contenait une bague de fiançailles, un magnifique solitaire serti de diamants. Il se leva et s'approcha de Laurie, mettant un genou à terre.

« Laurie, dit-il à voix basse, je t'ai aimée dès la minute où je t'ai vue. Je t'aimerai et te chérirai tous les jours de ma vie. Veux-tu m'épouser ? »

Le sourire de Laurie fut sa seule réponse tandis qu'il lui prenait la main et glissait la bague à son doigt.

Quelques applaudissements résonnèrent dans la salle quand les convives les plus proches d'eux comprirent ce qui se passait sous leurs yeux.

Une minute plus tard, un serveur à la mine réjouie leur apportait une bouteille de champagne.

Tandis qu'ils se portaient un toast mutuel, ils surent que s'ouvrait devant eux la vie qui comblerait leurs désirs.

REMERCIEMENTS

Une fois de plus, j'ai eu l'immense plaisir d'écrire ce livre en collaboration avec ma consœur romancière Alafair Burke. Deux esprits, une seule vérité à découvrir.

Marysue Rucci, mon éditrice chez Simon & Schuster, a été notre guide durant ce voyage. Mille remerciements pour ses encouragements et conseils avisés.

Mon équipe maison ne me fait jamais défaut. Mon merveilleux époux, John Conheeney, mes enfants, et mon bras droit, Nadine Petry. Ce sont eux qui m'encouragent à coucher les mots sur le papier.

Et vous, mes chers lecteurs. Vous êtes toujours dans mes pensées quand j'écris. Lorsque vous choisirez ce livre, je souhaite que vous passiez un agréable moment.

En collaboration avec Carol Higgins Clark

Avec Alafair Burke

Le Livre de Poche s'engage pour
l'environnement en réduisant
l'empreinte carbone de ses livres.
Celle de cet exemplaire est de :
250 g éq. CO$_2$
Rendez-vous sur
www.livredepoche-durable.fr

PAPIER À BASE DE
FIBRES CERTIFIÉES

Composition réalisée par Nord Compo

Achevé d'imprimer en France par
CPI BRODARD & TAUPIN (72200 La Flèche)
en septembre 2019
N° d'impression : 3035438
Dépôt légal 1re publication : octobre 2019
LIBRAIRIE GÉNÉRALE FRANÇAISE
21, rue du Montparnasse – 75298 Paris Cedex 06

51/9492/7